新潮文庫348

小王子

聖・修伯理/著

宋碧雲/譯

與母親(中)、弟弟(左)合影　右立者為作者安東尼

父親

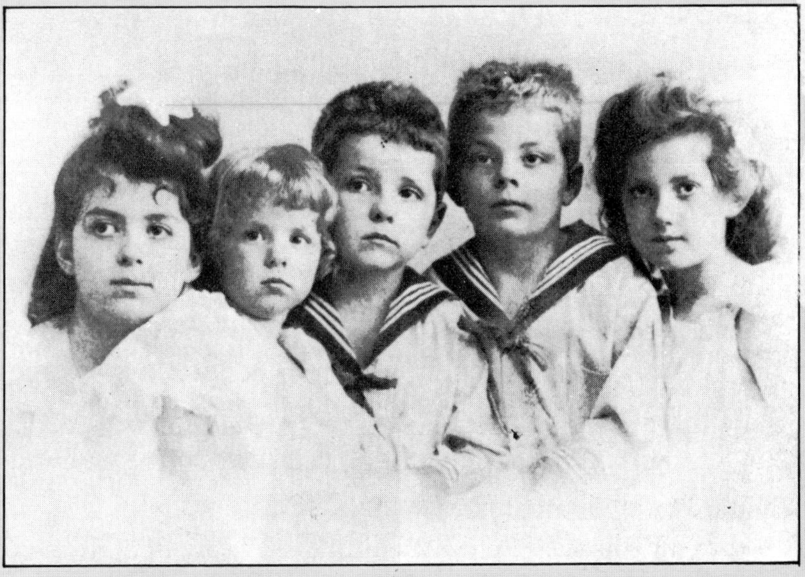

兄弟姊妹合影(左起為大姊、小妹、弟弟、作者安東尼·聖修伯理和大妹)

風度翩翩的作者

穿着飛行裝的聖修伯理

▲1930年六月二十二日飛越安德斯山脈時爲風雪所襲迫降於此

◀作者的妻子在聖修伯理石雕像旁留影

B-612號小遊星上的小王子。(見25頁)

「早上你自己梳洗完畢，就該仔細梳洗你的星球。」（見34頁）

日落時分。(見38頁)

「他小心翼翼清掃他的活火山。」（見51頁）

「第一顆行星上住著一位國王。」（見55頁）

「第三顆星球上住著一個酒鬼。」(見64頁)

「我幹的這一行眞可怕。」(見74頁)

「第六個星球住著一位寫大部頭作品的老先生。」(見78頁)

「你眞是滑稽的動物…身體不比一根手指粗。」（見87頁）

他站在一座開滿玫瑰的花園前面。(見95頁)

「例如你下午四點來，我三點就開始興奮。」(見102頁)

「他笑著碰碰繩索，開始拉動滑輪。」（見115頁）

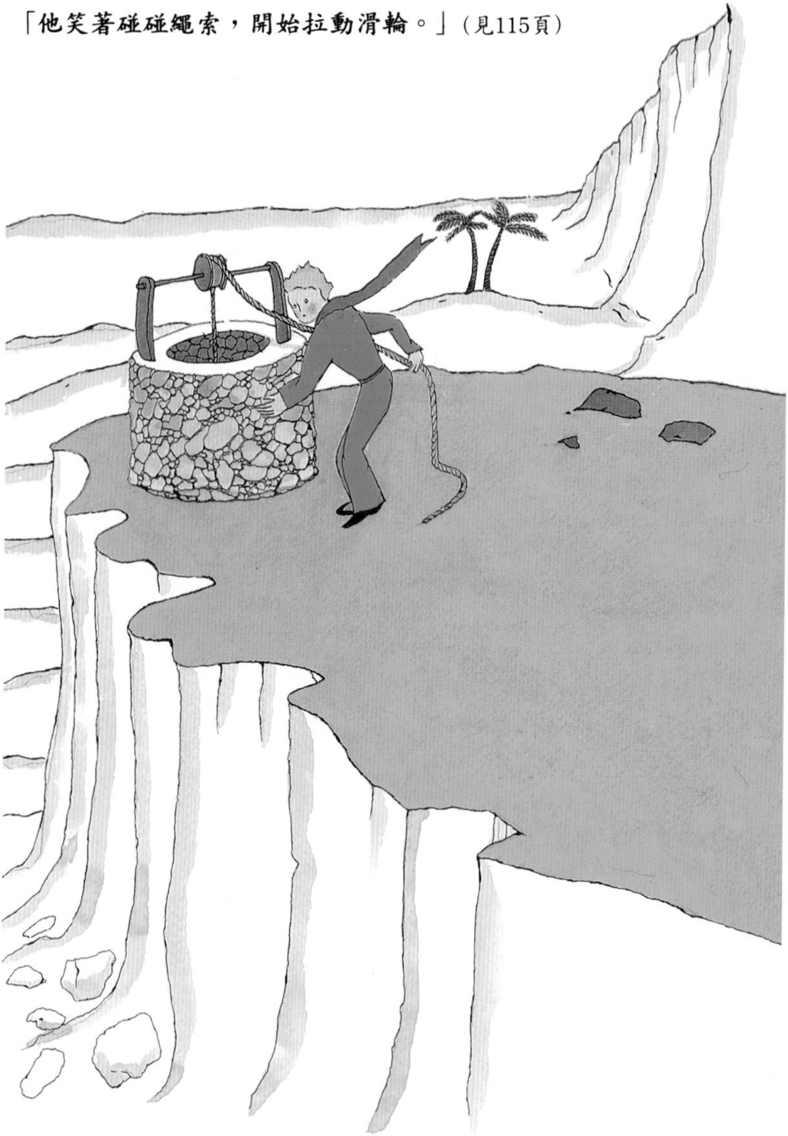

「現在走開……我要由牆頂跳下去了。」（見122頁）

「他像一棵樹靜靜倒下去，根本沒發出聲音。」（見130頁）

目錄

「我相信，他的旅程就是靠
一群候鳥的引導。」

聖修伯理的生平和『小王子』

慧黠的少年

一九〇〇年六月二十九日，安特瓦·德·聖修伯理(Antoine de Saint-Exupéry)出生於法國里昂。德·聖修伯理家是里姆桑地方的名門，家系可以一直追溯到十一世紀。聖修伯理四歲的時候，父親不幸過世，由教養深厚，美麗端莊的母親一手將五個子女撫養長大。

聖修伯理有兩個姐姐瑪麗·瑪特勒和西蒙，以及弟弟佛蘭索瓦和妹妹卡布麗葉。父親過世後，他們都跟隨母親住到聖莫里斯·德·勒曼去，因爲祖母和大姨媽的宅邸都在那裡。一九一四年夏天，第一次世界大戰爆發，母親加入醫療服務隊，因此，聖修伯理和弟弟佛蘭索瓦被送到德·蒙格勒學校住讀。第二年，轉到瑞士的聖尙學院。在這所貴族學院裡，每到晚上，聖修伯理就把自己關在房間裡，寫信給日夜思念的母親，或是沉迷在冥想當中。

聖修伯理有一頭燦爛的金髮，所以同學們都暱稱他「太陽王」。他的睫毛修長，眼睛是棕色的，寬闊的額頭和線條分明的嘴唇，使得他在同學之間愈發顯得聰明慧黠，但也流露出他倔強的個性。他從小就富有發明之才，成爲飛行員之後，在航空方面更有無數傑出的發明，共計獲得過十三項專利，其中以一九三六年的「特殊降落裝置」，以及一九四一年的「啓動航空引擎新型裝置」最爲著名。

飛機是母性的象徵

在嬌生慣養中度過的童年時代，各方面都備受呵護，也因此，聖修伯理對於童年時代也就特別眷戀，以後每當遇到困難時，彷彿符咒一般，童年時代的回憶就清晰地浮現出來。而他的感情生活，從很小的時候開始，對於母親的思念和死亡就已經成爲最主要的基調。終其一生，無論是有意識或是無意識，他總是在追求母親的保護。

對他來說，就連小小的飛機，在某種意義上，也都成爲母性的象徵。『夜間飛行』中的法比昂，在「悲慘的事件」結束後執行最後的飛行時，光是把脖子靠在椅背上，手裡握著操縱桿，心情就變得難以言喻的平靜。聖修伯理後來回憶說：「由飛機授乳的我，對飛機抱著孩子般的愛情，那是有如嬰兒對乳母的愛。」這是因爲他在空中那種絕對的孤獨裡，也能夠感受到有如憩息在母親懷抱裡的安全感。

另一方面，經由父親的死亡，聖修伯理很早就知道死亡的冷酷和無情，而且，在十四歲就夭折的弟弟佛蘭索瓦的死亡，也給他的一生留下永遠無法磨滅的印象。儘管如此，對他來說，死亡並不單只是結束而已，從某種意義看來，死亡正代表了新的出發。「我覺得船帆、桅桿和希望交織成的嘈雜，彷彿逐漸向海中沉沒而去似的。」『南方航線』中的這樣一段，他就有意識地把死亡作爲一個誕生和一次出航表現出來的。

沙漠上的飛行

二十一歲那一年，聖修伯理進入史特拉斯堡第二飛行戰鬥連隊服役。他從小就對飛行很感興趣，甚至曾經把自行車裝上翅膀當做飛機來騎。開始的時候聖修伯理擔任維修兵，但因爲抑制不住對飛行的熱切渴望，就央求母親寄來一大筆錢，瞞著軍方，私自到民間飛行場接受飛行訓練，而且才累積了一個小時又二十分鐘的飛行經驗，他就沒有經過上級允許，嘗試單獨飛行，結果幾乎出事，好不容易才勉強著陸。

聖修伯理取得民間飛行員資格後，不久又在摩洛哥第三十七飛行連隊中取得軍方飛行員執照，每天往返於法國和摩洛哥之間，使得他對飛行的熱情有增無減。所以在一九二三年他以少尉的官階退役後，生活頓失重心，心情一直無法開朗起來。

從來沒有割捨過在天空遨遊夢想的聖修伯理，終於在一九二六年秋天進入積極拓展航空路線的拉第格航空公司，經常在充滿了暴風雨的西班牙上空，以及炙熱的沙漠上飛行，同時還結交了無數要好的飛行員同事，體認到友情的可貴。所以他在『人類的土地』中說：「一個職業是否偉大，應該可以從人與人的關係是否密切看出來。」

一九二八年，他被任命爲由比岬角機場的場長，在這個遠離人烟的偏遠地方，只有友情才能慰藉他那孤獨的心靈。也正是在這個地方，產生了他日後的基本理念——「在人類的心中，必須留下偉大的事物，必須使人類回歸到人類自身的偉大裡。」

在由比岬角兩年的生活，對他的一生具有非常重大的影響。

在那之前，拉第格航空公司已經在一九二七年改名為郵政航空公司，並且在阿根廷設立分公司，二十九歲的聖修伯理被任命為主管，前往布宜諾斯艾利斯赴任。聖修伯理從孤寂的沙漠飛行員生活一下子投身到南美的繁華都市中，並且飛行次數也變得更加頻繁。在人類的土地上飛行的同時，也使得他不斷思索和人類有關的各種問題。這在他往後的許多作品中都可以見到端倪。如果說由比岬角生活的產物是『南方航線』，那麼在南美誕生的就是『夜間飛行』和『人類的土地』。

一事無成的「藍色時代」

隨後就是聖修伯理自稱為「藍色時代」的時期，由於郵政航空公司內部派閥鬥爭的結果，聖修伯理失去了他所熱愛的飛行員工作，經濟開始陷入窘境。並且他在一九三一年四月，已經和妻子康絲愛洛結婚，這個小他八歲的妻子，雖然美麗而聰明，但却浪費成癖。事實上聖修伯理自己也不知道節儉，因而債台日益高築。

為了解決困難，聖修伯理進入一九三四年成立的法國航空公司宣傳部，並且作爲「巴黎晚報」的特派員，赴莫斯科採訪新聞，但是所得到的收入，對揮霍成性的聖修伯理夫妻來說，也只是杯水車薪而已。

在那一段期間，由於航空技術的進步，飛行員都競相創立新的飛行記錄。當時一個名叫安德雷·傑比的飛行員已經創下以八十七個小時從巴黎飛往西貢的記錄，若是有人能破這個記錄，將可獲得十五萬法郎的獎金。聖修伯理滿懷一夜致富的夢想，於是在一九三五年十二月駕駛最新型飛機起飛，但是就在前往開羅途中，不幸墜落在利比亞沙漠上。這次的意外，成了他日後寫作『小王子』的背景。

悲劇的終結

在榮獲法國法蘭西學院小說獎，一九三九年出版的『人類的土地』中，聖修伯理曾經感慨說：「現在的戰爭，連用來保護人類的東西也被破壞了。在今天，已經不是犧牲一點血來增加民族活力的問題了，自從使用飛機和芥子氣以來，戰爭早已成爲鮮血淋漓的外科手術了。」他並且很理性地呼籲說：「爲什麼要互相憎恨呢？我們應該團結，因爲我們都在同一個星球上，都是同一艘船上的成員。」

九月一日，他所畏懼的戰爭終於成爲了現實，同月四日，聖修伯理收到動員令，被任命爲茲爾斯基地教官。但是後勤工作並不能使他滿足，四處奔走的結果，雖然軍醫給他「不適合軍方任務」的診斷，不過他還是被分配到尙巴紐地方奧爾康基地的戰略偵察飛行大隊。但是那個時候對飛行員所下達的命令異常混亂，任務充滿了危險，即使對他來說，「死亡早已經不是莊重，也不是嚴肅，更不是悲傷，只不過是無秩序的標記罷了。」雖然他爲了保障說話的權利，挺身和西歐的納粹戰鬥，「但是看到全世界都爲此荒廢，他連骨髓都感到了氣餒。」

他所屬的部隊爲了避開德軍勢如破竹的攻擊，轉進到阿爾及利亞，但是一九四〇年六月二十二日，停戰條約簽定，他也在七月底解除了動員，到住在亞葛的妹妹卡布麗葉家裡住了兩個月，隨後拋棄在這個悲劇的時代最需要他的老母親和家人，一個人逃亡到美國去。

然而在美國，他感受到的只有美國人對法國滿懷不信的露骨眼光，並且由於他主張「停戰是正確的」，也飽受在美國流亡的法國同胞的責難。他一句英文也不會說，交不到一個美國朋友，日夜後悔拋棄在德軍的壓迫下掙扎的祖國。在這樣孤獨的生活中，他除了寫作之外，沒有別的寄託。不到兩年的逃亡期間，他寫出了『戰鬥飛行員』『給某人質的信』『小王子』，以及『城堡要塞』的大部份原稿。一九四二年二月，改題爲『阿拉斯飛行』的『戰鬥飛行員』英文版發行，受到美國年輕讀者的熱烈歡迎，爲挽回法國的榮譽做出重大的貢獻。

一九四二年十一月六日，美軍登陸北非，聖修伯理開始設法回留在北非的連隊，終於在第二年五月到達拉古亞基地的飛行大隊。但是在一次飛行中，由於操作失誤，折損了一架飛機，從此聖修伯理被禁止飛行，隨後他寄居在好友的公寓中，專心執筆『城堡要塞』，但因爲生活孤獨而且枯燥無味，進行得並不順利，另一方面由於他在美國的那一段經歷，因而跟「超級愛國者」戴高樂派失和，使得他的作品在北非禁止發行，而在佔領下的法國，德軍對他的著作也是採取同樣的措施。這對於一直以作品和行動來表達理念的他來說，無疑是最大的屈辱。

他在失意中度過了黯淡的八個月，幸好在昔日好友夏桑上校的安排下，一九四四年四月，他被編入上校所屬的第三十二爆擊戰隊，並且獲准再度出任飛行工作。

七月三十一日清晨，聖修伯理從科西嘉島上的波爾可基地起飛，任務是偵察自己出生的故鄉里昂，以及安貝里和阿努西。但是任務達成後返航途中，飛機在葛亞灣上空被德軍擊落，於是聖修伯理就像「小王子」那樣，永遠從地球上消失了。

關於『小王子』

第二次世界大戰期間，聖修伯理逃亡到美國。在異國那難耐的孤獨生活中，他以不斷地寫作來發抒自己對祖國的愛，以及對妻子的思念。這部後來成爲世界性的暢銷書，爲大人而寫的童話『小王子』，就是在那段期間完成的。

這部堪稱二十世紀格調最高的童話傑作，其魅力早已超越了童話的範疇，成功地浮雕出跟大人世界的虛榮與私慾相對抗的兒童的清純，全書充滿了如詩如幻的美感。作者以纖麗的散文詩手法，娓娓道出有一天，一個在撒哈拉沙漠中央迫降的飛行員，遇見了一個非常不可思議的小孩。這個小孩是星星王子，一個人住在只有房子般大小的星星上，因爲和春天盛開的美麗玫瑰花發生一點小誤會，所以賭氣離開故鄉，到各星球上去遊歷，他想找一個可以知心談話的對象，但是他碰到的，都是一些舉止叫人厭煩的大人，現在他來到了地球上。

王子對飛行員說，他住的星星上有一棵叫做巴奧巴比的大樹，必須經常修剪，否則就會把整個星星都遮蔽住。還有三座火山，每天一定要打掃乾淨，不然爆發了，星星將不知道會飛到哪裡去。

星星王子還告訴飛行員說，有一個星球上住著只會命令人的國王，還有一個星球上住著一心算計別人的企業家。飛行員和星星王子相處了一個星期，當飛機修理好了之後，王子說他要回去照顧留在星星上的花，於是就從沙漠中消失了踪影。

整個故事處處暗示了逃亡中的作者和祖國，作者和他的妻子，作者和童年時代的關係，同時對大人的習性與現代社會給予尖銳的諷刺，全篇洋溢著充滿憂愁的詩情，因而甫一出版，立即獲得全世界讀者的喜愛。

新潮文庫編輯室

一九九一年十二月

獻給李昂・韋德

孩子，請你原諒我把這本書獻給一個大人。我這樣做是有重大的理由的：第一、這個大人是我在世界上最好的朋友；第二、這個大人能完全瞭解書的內容，甚至寫給孩子看的書他也完全瞭解。第三、這個大人住在法國過著又冷又餓的生活，他需要安慰。如果以上這些理由都還不值得你們原諒，我願意把這本書獻給這個大人還沒有成長爲大人時候的孩子時代。所有大人都曾經是個孩子——但是他們大都忘記了。

好吧，讓我把獻詞改爲：

獻給李昂・韋德

當他還是個孩子的時候

1 大蟒蛇吞吃動物

我六歲那年，在一本名叫『自然實錄』的書中看見一張頂呱呱的原始森林圖片；畫的是一條大蟒蛇吞吃動物的情景。圖畫的副本如下。

書上說：「大蟒蛇將獵物整個吞下去，不咀嚼。這一來牠們動都不能動，要六個月才能消化，便睡了足足六個月。」

於是我默想叢林的奇事；用彩色鉛筆下了一番工夫，終於完成我的第一張畫——我的「第一號繪畫作品」。內容大致如下：

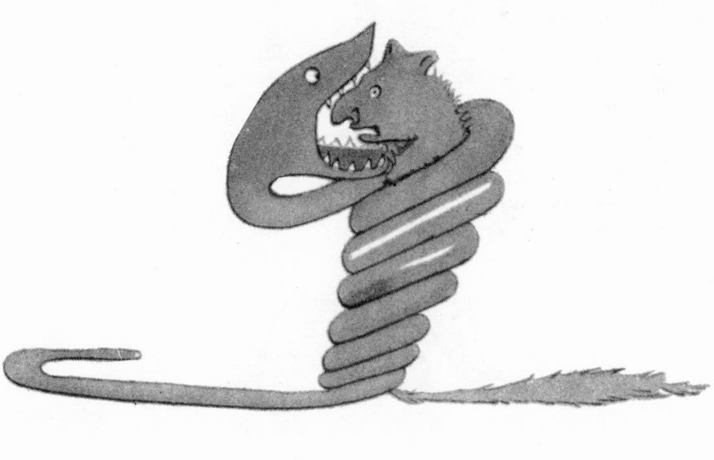

我把我的傑作拿給大人看，問他們這張畫有沒有嚇著他們。

他們却說：「嚇著？怎麼會有人被帽子嚇著呢？」我畫的不是帽子，是大蟒蛇消化大象的情景。可是大人看不懂，我又畫了一張：我畫大蟒蛇的內部，希望大人能夠看清楚。他們老是要人解釋才明白。我的「第二號繪畫作品」如下：

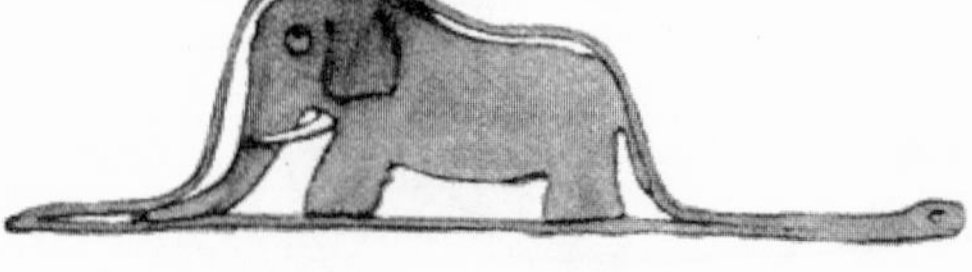

這回大人的反應是勸我擱下大蟒蛇體內或體外的畫像，專心讀地理、歷史、算術和文法。所以我六歲就放棄了原本可能頂呱呱的畫家生涯。我因「作品一號」和「作品二號」失敗而心灰意冷。大人自己從不瞭解什麼，小孩子得經常向他們解釋，永遠解釋個沒完，眞累人。

所以後來我選了另一種行業，學會開飛機。我飛遍世界各地區；地理對我很有幫助。我一眼就能分出中國

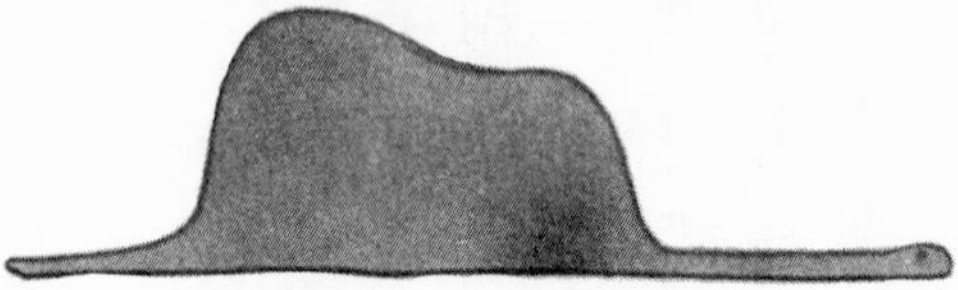

和非洲。萬一在夜裡迷路，這方面的知識是很珍貴的。

此生我常碰見許多關心要事的人。我常與成人生活在一起。我曾密切觀察過他們。我對他們的印象並未好轉。

每次我碰見一個視界似乎蠻清楚的人，我就將自己長期保存的「第一號繪畫作品」拿給他看。我想試試此人是否眞有理解力。然而，不管對方是誰，他（或她）總是說：

「那是一頂帽子。」

於是我決不跟此人談大蟒蛇、原始叢林或星星。我降低水準來遷就他，跟他談橋牌、高爾夫、政治和領帶。大人們一定很高興見到這麼懂事的人。

2 畫一隻綿羊給我……

於是我孤單單度日，找不到眞正談得來的知己，六年前我的飛機在撒哈拉沙漠失事，情形才改觀。當時我的引擎壞了。我既沒帶機師也沒載旅客同行，只好一個人嘗試艱深的修理工作。對我而言這是生死交關的問題：我帶的飲水幾乎撐不到一個禮拜。

頭一夜我在遠離人煙一千哩的沙漠上睡覺。我比大洋中乘筏子漂流的遇難水手更孤單。日出時我被一陣古怪的小嗓音喚醒，你不難想見我多麼吃驚。那個聲音說：

「拜託——畫一隻綿羊給我！」

「什麼！」

「畫一隻綿羊給我！」

我一躍而起，簡直驚呆了。我用力眨眼睛，仔細看看四周。我看見一個非常特殊的小人兒，正一本正經站在那兒打量我。日後我設法畫出一張他最美的肖像，呈現在這兒。不過我的畫像遠不如模特兒本人可愛。

這不能怪我。我六歲那年，大人折損了我當畫家的志向：除了大蟒蛇的體外和體內圖，我沒畫過任何東西。

現在我訝然睜大了眼睛，瞪著突來的妖怪。請記住，我在離人煙千哩外的沙漠上墜機，可是我面前的小人兒不像在沙地間迷途，既未累昏，更未餓昏、渴昏或嚇昏。他完全不像沙漠中走失的兒童，與人煙相隔千哩。等我終於說得出話來，便對他說：

「不過——你在這邊幹什麼？」

他慢慢複述剛才的話，算是回答，彷彿正在談一件很重要的事：

「拜託——畫一隻綿羊給我……」

玄秘的氣氛太逼人，我可不敢抗命。雖然我覺得荒謬，雖然遠離人煙一千哩，又有死亡的危機，我仍由口袋裡拿出紙張和自來水筆。但是轉念一想，我學的是地理、歷史、算術和文法，就告訴小傢伙(而且態度有些彆扭)我不會畫。他回答說：

「這是我日後爲小王子畫的最佳肖像。」

「沒關係。畫一隻綿羊給我……」

我從來沒畫過綿羊。有兩張圖我常常畫，於是我爲他畫出其中的一張，就是大蟒蛇的體外圖。沒想到小傢伙竟說：

「不，不，不！我不要大象在蟒蛇肚子裡的圖畫。蟒蛇是很危險的動物，大象又笨重得很。我住的地方樣樣東西都很小。我需要的是一隻綿羊。替我畫一隻綿羊嘛。」

於是我畫了一張。

他看個仔細，然後說：

「不，這隻綿羊已經體弱多病了。爲我另畫一張。」

於是我又畫了一張。

吾友泛出溫雅和寬大的笑容。

他說：「你自己看。這不是小綿羊，是公羊。牠有角。」

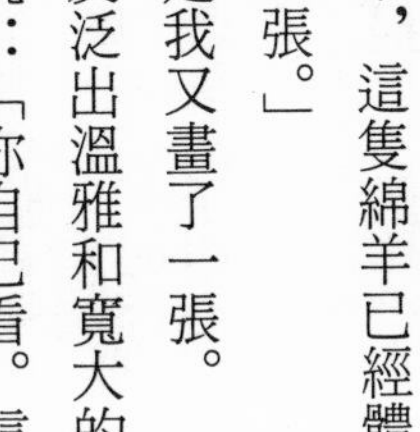

我又重新畫一次。

可惜這張也像前兩張一樣，被他謝絕了。

「這隻太老了。我要一隻能活很久的綿羊。」

這回我失去了耐心，我正急著要動手拆引擎呢。我匆匆畫出這張圖。

我還提出了解釋。

「這只是牠容身的箱子。你要的綿羊在裡面。」

我看見小判官滿面春風，非常驚訝。

「我想要的正是這個樣子！你看這隻綿羊是不是得吃很多草？」

「怎麼？」

「因爲我住的地方樣樣東西都很小……」

我說：「草一定夠牠吃啦，我送你的是一頭很小的羊。」

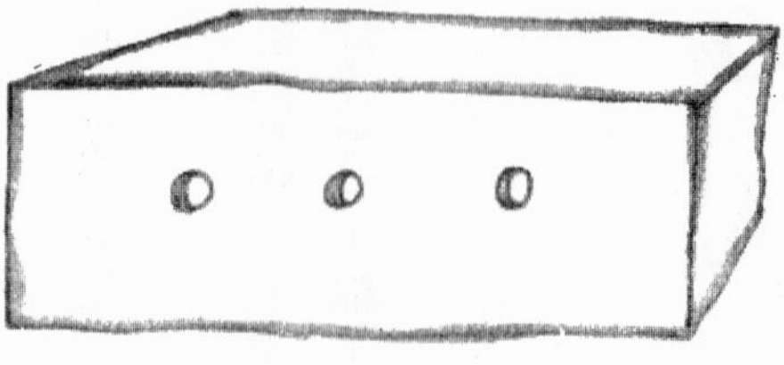

他低頭望著畫面：

「不會小到——看！牠睡了……」

我和小王子就是這樣認識的。

3 「B-612號」小遊星

我過很久才知道他來自何方。小王子問我好多問題，我問他的話他却好像一句也沒聽見。我憑他偶爾說出的話點點滴滴猜到實情。

例如他第一次看見我的飛機（我不畫我的飛機，我覺得太複雜了），曾問我：

「那個靜物是什麼？」

「那不是靜物。它會飛，是飛機，

是我的飛機。」

我向他透露自己會開飛機，感到很光榮。

當時他嚷道：

「什麼！你由天上掉下來？」

「是的，」我謙虛地說。

「噢！眞滑稽！」

小王子發出一串可愛的笑聲，我非常生氣。我希望人家重視我的災難。

此時他又說：

「原來你也是天上來的！你的行星是哪一個？」

他的存在太神秘了，此時我抓到一線曙光，猝然問道：

「你是另一個星球來的？」

但他不回答。他輕輕甩頭，眼睛一直盯著我的飛機。

「你搭那玩意兒，當然不可能來自太遠的地方……」

他陷入冥思，歷時很久。後來他從口袋裡拿出我畫的綿羊，專心打量他的財寶。

你不難想像，這種「外星球」的小機密自然深深勾起了我的好奇心。所以我努力追查這方面的資料。

「我的小人兒，你來自何方？你所謂『我住的地方』是指什麼？你要把綿羊帶到哪裡去？」

他默默沈思一會兒，才答道：

「你送我的箱子有一個好處，晚上綿羊可以用來當房子住。」

「是啊。你若乖一點，我會送你一根繩子，天天把牠綁起來，再送一根柱子來拴牠。」

小王子對這項好意似乎很震驚：

「把牠綁起來！眞是怪念頭！」

我說：「可是你不綁住牠，牠會亂逛，會走失的。」

吾友又發出一串笑聲：

「你想牠會去哪裡呢？」

「隨便哪兒都行。直直往前走啊。」

B-612號小遊星上的小王子。

小王子認眞說：

「沒關係。我住的地方，樣樣東西都很小！」

接著他略帶悲哀說：

「筆直向前，誰也走不了多遠……」

4 小王子住的星球

就這樣我得知第二項重要的事實：小王子原來住的星球比一間房子大不了多少！

我其實不太驚訝。我知道除了我們已命名的大行星——例如地球、木星、火星、金星——之外，還有數以千百計的星球，有些好小好小，用望遠鏡看起來十分吃力。天文學家發現其中之一時，不爲它命名，只給它編個號碼。他可能稱之爲「小遊星325」之類的。

我有理由相信小王子來自名爲「B-612號」的小遊星。

這顆小遊星只被人用望遠鏡見過一次，是一位土耳其天文學家一九〇九年見到的。

這位天文學家發現以後，曾將成果獻給國際天文學會，盛大展示說明。但他穿著土耳其服裝，沒有人肯相信他的話。

成人就是這樣子……

幸虧一位土耳其獨裁者訂了一條法規，命令臣民改穿歐洲服飾，違者處死，這對「小遊星B-612號」的信譽有好處。一九二〇年天文學家穿著十分高雅的服裝，重新提出說明。這回人人都接納了他的報告。

我跟你提這些有關小遊星的瑣事，還列出它的號碼給你看，是基於大人的作風。大人喜歡數字。你跟他們說你交了一個新朋友，他們從來不問些基本的問題。他們從來不對你說：「他的聲音如何？他最喜歡什麼遊戲？他收不收集蝴蝶？」反之他們問道：「他幾歲？有幾個兄弟？體重多少？他父親賺多少錢？」他們以爲只有靠這些數字才能對他有幾分瞭解。

你若跟大人說：「我看見一棟玫瑰色磚塊築成的房子，窗口有天竺葵，屋頂有白鴿，」他們根本不能對房屋產生任何概念。你必須跟他們說：「我看見一棟價值兩萬金元的房子。」他們這才嘆道：「噢，好漂亮的房子！」

同樣的，你原可對他們說：「小王子很迷人，會笑，而且正在找一隻綿羊，這是他存在的明證。任何人想要一隻綿羊，就証明他存在著。」告訴他們這些有什麼用呢？他們會聳聳肩，把你當小孩子。可是你若對他們說：「他來自B-612號小遊星」，他們就深信不疑，不會問東問西的。

他們就是這樣。我們千萬別爲此責怪他們。赤子對大人應隨時表現容忍的態度。當然啦，在我們這些瞭解生命的人眼中，數字無關緊要。我本想以神話體裁來述說這個故事。我本想說：「從前從前有一個小王子，他住在一個比他自己大不了多少的星球上，需要一隻綿羊……」

對於瞭解生命的人來說，這樣我的故事一定更有眞實感。

我不要任何人漫不經心讀我的作品。我寫下這些回憶，曾非常傷心。吾友帶著綿羊離開已經六年了。我在此描述他，是要對他永誌不忘。忘記朋友未免太悲哀。並非人人都有朋友的。我若把他給忘了，那我可能會變得跟大人一樣，除了數字，什麼都不再感興趣……

基於這個目標，我買了一盒油畫顏料和幾枝鉛筆。打從六歲開始，除了大蟒蛇的體外圖和大蟒蛇的體內圖，我從來沒畫過什麼，到了這個年紀才拾起畫筆，實在很困難。我當然要盡量把筆下的肖像畫得像他本人。可是我沒有把握。有一張畫得還好，另外一張跟我要畫的人一點都不相像。小王子的身高我也畫錯了幾處：有一個地方他太高，另一個地方則太矮了。我對他衣服的顏色稍稍存疑。所以我盡力摸索，時好時壞，我希望大體還馬馬虎虎。

某些更重要的細節我也可能畫錯。但這不能怪我。吾友從不向我解釋什麼。也許他以爲我像他一樣吧。可惜我不知道該怎麼隔著箱壁看綿羊。也許我有點像大人。我必須長大呀。

5 巴奧巴比巨樹

日子一天天過去，談話間我對小王子的星球、他離開的原委、旅途的遭遇漸漸有了一點認識。資料是他偶爾想起來的時候慢慢透露的。第三天，我聽到了巴奧巴比巨樹的災禍。

這回我又得感謝那隻綿羊。小王子突然問我——彷佛碰到大疑問似的——「綿羊眞的會吃小灌木吧？」

「是，是眞的。」

「啊，我眞高興！」

我不懂綿羊吃小灌木爲什麼如此重要。可是小王子又說：

「那牠們也吃巴奧巴比巨樹囉？」

我向小王子指明巴奧巴比巨樹不是小灌木，相反的，樹身大如城堡；就算他帶

一大群象回去，也吃不完一棵巴奧巴比巨樹。

想到象群，小王子大笑。

他說：「我們得把牠們一個一個疊起來。」

不過他說了一句挺明智的話：

「巴奧巴比樹沒長大之前，也是由小樹苗長起的。」

我說：「沒有錯。可是你爲什麼要綿羊吃小巴奧巴比樹呢？」

他立刻答道：「噢，得了，得了！」活像在談一個不證自明的道理。我只得不靠外力，自己用心解這個難題。

就我所知，小王子住的星球——一切星球都如此——有好植物也有壞植物。好植物產生好種子，壞植物產生壞種子。但種子是看不見

的。它們在地心暗處深眠，終於有一粒種子急著要醒過來。於是這粒小種子伸伸腰——起先怯生生的——開始毫無惡意地向太陽伸出一根迷人的小枝子。如果那只是蘿蔔芽或小玫瑰枝，我們會隨它愛長在哪裡就長在哪裡。反之，若是壞植物，一認出來就得及早撲滅。

小王子居住的星球有一些可怕的種子，就

是巴奧巴比巨樹種。星球的土壤都被它沾染上了。你若太晚才動念頭，你絕對擺脫不了巴奧巴比巨樹。它遍佈整個星球，樹根會在球體各處鑽洞。假設星球太小，巴奧巴比巨樹太多，整個星球會裂得粉碎……

後來小王子對我說：「這是紀律的問題。早上你自己梳洗完畢，就該仔細梳洗你的星球。你一定要按時拔掉所有的巴奧巴比樹，它的秧苗早期和玫瑰樹很像，等你一分辨出來，立刻動手。」小王子又說：「工作乏味，却很簡單。」

有一天他對我說：「你該畫一張美麗的圖畫，你這個地方的孩子們才看得清一切實情。將來有一天他們若要旅行，對他們一定很管用。」他又說：「有時候我們的工作拖一兩天沒什麼大礙。但是牽涉到巴奧巴比巨樹時，拖延可就是一大災禍了。我知道有一個星球上住著一個懶人。他忽略三株小灌木……」

小王子一面向我描述，我一面畫下那個行星。我不太喜歡用道德家的口吻。可惜很少人明白巴奧巴比樹的危險性，凡是迷路到小遊星的人都可能冒這個大險，我遂一改平日的保守作風。我明明白白說：「孩子們，留心巴奧巴比巨樹喔！」

朋友們跟我一樣，長期接近這種危機，却根本不知情：我努力畫這張圖，全是

巴奧巴比巨樹。

爲他們著想。我藉此傳下了教訓，一切心血都是値得的。

也許你會問我：「爲什麼本書別的畫面都不像巴奧巴比巨樹那麼感人呢？」

答案很簡單。我試過。可惜別的畫都不太成功。我畫巴奧巴比巨樹時，因爲刻不容緩，遂表現出超自我的能力。

6 日落時分

噢，小王子！我漸漸明瞭你那悲哀的小生命中的秘密了……有一段時間你唯一的樂趣就是看夕陽。第四天早晨，我才得知這段新故事，當時你對我說：

「我很喜歡落日。來，我們現在去看落日吧。」

我說：「可是我們得等一等。」

「等？等什麼？」

「等落日啊。我們得等到日落時分。」

起先你似乎非常驚訝。然後你自顧笑起來。你對我說：

「我老以為我在家裡！」

正是如此。人人都知道美國正午時分，法國的太陽快要下山了。你若能在一分鐘後飛抵法國，就可以從正午直達落日啦。不幸法國太遠，不可能辦到。然而小王子啊，在你的小星球上，你只要把椅子移動幾步就行了。你想看的時候，隨時可以看見白晝結束，暮色降臨……

你對我說：「有一天我看日落看了四十四次！」

過了一會兒你又說：

「你知道——人傷心的時候，喜歡夕陽……」

我問道：「那日落四十四次那天，你是不是很傷心？」

小王子沒答腔。

7 帶刺的花兒

第五天——照例又歸功於綿羊——小王子身世的秘密顯露出來了。問題活像是他默默思考的結果，他無緣無故猝然問道：

「綿羊——他若吃小灌木，是不是也吃花兒呢？」

我回答說：「綿羊發現任何牠搆得著的東西，都會吃下去。」

「連帶刺的花兒也吃？」

「是的，連帶刺的花兒也吃。」

「那麼棘刺——有什麼用呢？」

我不知道。那時我正忙著拔起一根卡在引擎裡的螺栓。我看出飛機破損得很厲害，擔心極了。而且飲用水太少，我不得不擔心最壞的結果。

「棘刺——有什麼用呢？」

小王子一旦提出某個問題，決不中途罷休。至於我嘛，我爲那根螺栓心煩意亂。我隨口答道：

「棘刺根本沒有用。花兒有刺，純粹是爲了洩憤！」

「噢！」

現場肅靜了一會兒。接著小王子忿忿不平反駁我說：

「我不相信你的話！花兒是弱者。她們天眞無邪，她們盡量叫自己安心。她們相信棘刺是嚇人的武器……」

我沒答腔。那一刻我正對自己說：「假如這個螺栓還轉不動，我要用鐵錘把它敲下來。」小王子又擾亂了我的思緒：

「你眞的相信花兒——」

我嚷道：「噢，不！噢，不，不！我沒相信什麼。我是隨口回答你的話。你難道不明白——我正忙著辦重要的事！」

他大吃一驚瞪著我。

「重要的事！」

他在那兒望著我，而我手持鐵鎚，手指黑漆漆沾滿機油，俯身搞一具他覺得很醜很醜的東西……

「你說話像大人！」

我有點慚愧。但他冷冷說下去：

「你混淆一切……你是非不分……」

他眞的很生氣，在微風中猛甩那一頭金黃色的鬈髮。

「我知道某一個星球上有一位紅臉的仕紳。他從來沒聞過花朵的氣味。他從來不看星星。他從不愛任何人。他一生除了加數字，什麼事都沒做過。他跟你一樣，成天說了又說：『我忙著辦重要的事！』他爲此得意極了。但他不是人——他是蘑菇（暴發戶）！」

「是什麼？」

「蘑菇！」

現在小王子氣得臉色發白。

「花兒長棘刺長了幾百萬年。同樣的，綿羊吃花也吃了幾百萬年。設法瞭解花兒爲什麼要費心長些對她們沒用的棘刺，這不算重要的事嗎？綿羊和花兒的戰爭不重要？這不是比一個紅臉胖紳士的帳目更重要嗎？如果我——我本人——知道一朵世間獨特的花，只有我的星球才長的花，某一天會被一隻小綿羊一口毀掉，小綿羊甚至察覺不出牠在幹什麼——噢，你竟認爲這不重要！」

他臉色由白轉紅，繼續說下去：

「一個人如果愛花，愛幾千萬星球間獨有的一朵花，那他只要望著星星，就會感到快樂。他可以對自己說：『我的花兒在那邊的某一個地方……』可是小綿羊若把那朵花吃掉了，一切星子霎時就黯然無光……你竟以爲這不重要！」

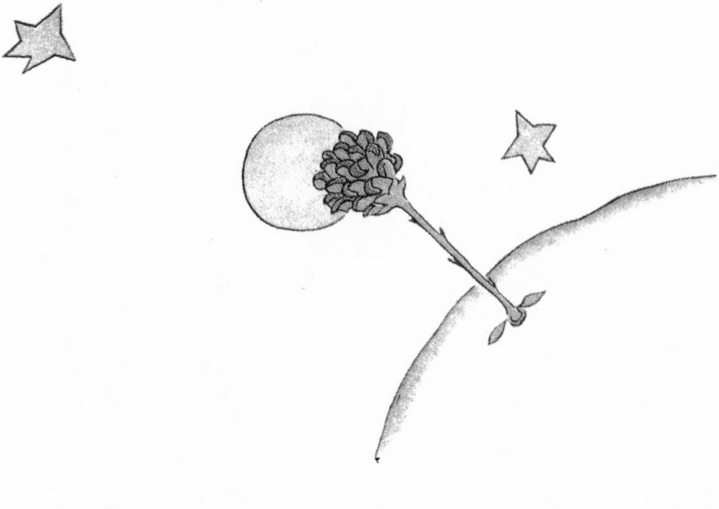

他再也說不下去了。他啜泣得哽咽，說不出話來。

夜幕降臨了。我任由工具從手中滑落。現在我的鐵錘、我的螺栓、口渴或死亡算得了什麼？一顆星星——我的行星「地球」上有一位小王子需要安慰。我把他摟在懷裡輕輕搖。我對他說：

「你心愛的花兒不會遭到危險。我來替你的綿羊畫一個口套。我還會畫一道欄干給你，讓你圍在花兒四周。我會——」

我不知道該對他說什麼。我自覺尷尬又笨拙；不曉得怎麼樣才能搆著他，趕上他，再度跟他手牽著手。

那是好隱密的地方——淚水的國度。

8 草叢裡的嫩芽

我馬上對這朵花有了進一步的認識。在小王子的星球上，花兒一向很單純。她們只有一圈花瓣，根本不佔空間，不麻煩任何人。某一天早上她們出現在草叢裡，晚上就平平靜靜凋謝。可是有一天，一粒不知道哪兒吹來的種子長成一枝新花；小王子密切打量這個小嫩芽——它和星球上別的小嫩芽不一樣。你知道，可能是新品種的巴奧巴比巨樹喔。

可是小灌木很快就不長了，準備開花。大花苞出現時，小王子在場，他霎時以爲會有奇蹟般的鬼怪由花苞裡竄出來。其實花兒在綠色

的閨房裡打扮，還沒準備好哩。她小心翼翼挑顏色。她慢慢穿衣。她逐一調整花瓣。她不願像虞美人花亂蓬蓬來到人間。她只想明艷照人地露面。噢，是的！她是騷娘們！神秘的裝扮儀式歷時好多好多天。

有一天日出時分，她突然露面了。她苦心雕琢這麼久，居然打呵欠說：「啊，我還沒全醒呢。懇求你原諒我。我的花瓣還亂亂的……」

可是小王子忍不住讚美說：

「噢，妳眞美！」

花兒甜蜜蜜答道：「可不是嗎？我是跟太陽同一個時刻出生的……」

小王子一猜就知道她並不謙虛——但她眞動人——眞叫人興奮！

過了一會兒她又說：「我想該吃早餐了。你若好心想想我的需求——」

小王子面紅耳赤，跑去找一壺澆花的清水。接著他著手照顧花兒。

而她很快就表現出虛榮心，狠狠折磨小王子——說眞格的，實在有點難對付。例如有一天她談到她的四根棘刺，曾對小王子說：

「讓老虎帶著利爪來試試看！」

小王子提出異議：「我的星球上沒有老虎，而且老虎也不吃雜草的。」

花兒甜蜜蜜回答說：「我不是雜草。」

「請原諒……」

她繼續說：「我根本不怕老虎，但我好怕氣流風。我想你沒有屏障給我遮風吧？」

小王子說：「怕氣流風——對植物而言眞是壞運。」又自言自語說：「這朵花是非常複雜的生物……」

「晚上希望你把我放在玻璃罩下面。你住的地方眞冷。我原來的地方——」

她說到這裡就打住了。她來時是一粒種子。她不可能知道其它世界的情形。她差一點說出天真的謊言，被人識破，忙咳嗽兩三回，想讓小王子自覺錯的是他。

「屏障呢？」

「你跟我說的時候，我正要去找……」

她硬是再咳幾下，使他照樣覺得懊悔。

小王子儘管滿懷愛心和善意，不久便對她起了疑心。他曾認眞聽信不重要的話，覺得很難過。

有一天他向我傾訴道：「我不該聽她的。人永遠不該聽花兒的話。人應該只觀賞她們，聞她們的香味。我的花兒使整個星球佈滿芳香。但我不知道該如何欣賞她的一切美姿。利爪的故事害我不安，其實

我該心生柔情和同情才對。」

他繼續吐露衷曲：

「事實上我不知道該怎麼瞭解問題！我該憑行爲而不該憑言語下判斷。她向我施放她的香味和光彩。我眞不該撇下她跑掉……我該猜到她蹩腳的小計謀包含著無限深情。花兒眞矛盾！但我太年輕，不知道該怎麼愛她……」

9 活火山

我相信他是利用一群野鳥遷居的機會逃走的。臨行的那天早上，他把星球整頓得有條有理。他把他的活火山仔細打掃乾淨。他擁有兩座活火山；早上煮早餐很方便。他還有一座死火山。但他說得不錯：「天下事很難說！」所以他把死火山也掃乾淨了。火山若好好清掃過，就會不緩不急慢慢燒，不至於爆發。火山噴出物像煙囪火似的。

在我們地球上，我們顯然太小了，不可能清掃我們的火山。難怪火山給我們帶來無盡的煩惱。

小王子滿懷沮喪拔掉巴奧巴比巨樹的最後幾根小嫩苗。他相信自己決不會想要回來。可是最後那天早上，一切熟悉的工作他都覺得很寶貴。他最後一次澆花，準備把她放在玻璃罩下，眼淚都快掉出來了。

「他小心翼翼清掃他的活火山。」

「再見，」他對花兒說。

她不答腔。

「再見，」他又說。

花兒咳嗽，却不是感冒的緣故。

最後她終於說：「我一向太傻了，請你原諒。盡量快樂起來……」

她竟沒責備他，他很驚訝。他心慌慌站在那兒，玻璃罩舉在半空中。他不解這份靜靜的柔情。

花兒對他說：「我當然愛你。你始終不知道，都怪我不好。這無關緊要。可是你——你也跟我一樣傻。快樂起來吧……別管玻璃罩了。我再也用不著了。」

「可是風——」

「我的感冒並不嚴重……清涼的夜風對我有好處。我是一朵花。」

「不過動物——」

「得了，我若想結識蝴蝶，總得容忍兩三隻毛虫存在呀。蝴蝶似乎很美。除了蝴蝶——和毛虫，還有誰會拜望我呢？你要到遠方……至於大動物——我根本不怕牠們。我有利爪。」

她天眞地展示四根棘刺，然後又說：

「別依依不捨了。你已決定要走。快走吧！」

她不想讓小王子看見她哭。她是一朵好驕傲好驕傲的花兒……

10 住著一位國王的行星

他發現自己和325號、326號、327號、328號、329號、330號小遊星爲鄰。所以他先造訪那幾個行星，以增長見聞。

第一顆行星上住著一位國王。他身穿紫色貂皮皇袍，坐在一張簡單又威嚴的寶座上。

國王看見小王子來，大聲說：「啊，有部下了。」

小王子自問道：

「他以前沒見過我，怎麼認識我呢？」

他不知道國王眼中的世界都簡化了。他們把所有的人當做下屬。

國王說：「走近一點，讓我好好看看你。」他終於能統治人，感到萬分得意。

小王子四處找地方坐，可惜整個星球被國王的貂皮華服塞滿了，堵住了。於是

「第一顆行星上住著一位國王。」

他直挺挺站著，因爲很累，就打了個呵欠。

國王對他說：「在國王面前打呵欠有違禮法。我禁止你這麼做。」

小王子十分尷尬，他回答說：「我沒有辦法，我忍不住。我長途跋涉來這裡，一路沒睡覺……」

國王說：「啊，那我命令你打呵欠。我已經多年沒看人打呵欠了。呵欠對我而言是新奇事。來，再打呵欠！這是命令。」

「我嚇著了……再也打不出來了……」小王子滿面通紅呢喃道。

國王說：「哼！哼！那我——我命令你有時候打呵欠，有時候——」

他口沫橫飛，似乎很懊惱。

國王基本上要人尊重他的權威。他受不了人家抗命。他是專制的統治者。但他也是大好人，命令下得合情合理。

他曾舉例說：「我若命令一位將軍——我若命令一位將軍變成海鳥，將軍不服從，那不是將軍的錯。那得怪我。」

「我能坐下嗎？」小王子怯生生問道。

國王說：「我命令你坐下，」並威風凜凜將貂皮斗蓬褶攏過來。

小王子暗自奇怪……這個星球好小。國王能統治什麼？

他對國王說：「陛下，對不起，我要問你一件事——」

「我命令你問，」國王趕快對他說。

「陛下——你統治什麼？」

國王莊重又單純地說：「統治一切。」

「統治一切？」

國王作了一個手勢，把他的星球、別的行星和一切星星都包括在內。

「統治那一切？」小王子問道。

「統治那一切。」國王答道。

他的治權不但是絕對的，也是宇宙性的。

「星星肯聽你的話嗎？」

國王說：「當然。它們立刻服從。我不容許抗命的。」

這種權力使小王子驚嘆不已。他若有這麼完整的權威，那他一天不但能看落日四十八次，而且能看七十二次，甚至一百次或兩百次，連椅子都不必搬一下哩。他想到自己所離棄的小星球，覺得有點傷心，就鼓起勇氣請國王幫忙：

「我想看落日……拜託幫個忙……命令太陽下山……」

國王問道：「我若命令一位將軍像蝴蝶從這朵花飛到那朵花上，或者寫一齣悲劇，或化身爲海鳥，將軍不執行他接到的命令，那我們倆誰有錯？是將軍還是我？」

小王子堅決說道：「你。」

國王繼續說：「不錯。我們必須叫每個人盡他能盡的職責。公認的權威首先不能違背理性。你若命令人民跳海，他們會起而叛變的。我的命令合理，才有權利叫人服從。」

小王子提醒他：「那我的落日呢？」他一旦提出問題，從來不忘記的。

「你可以看到落日。我會下命令。不過照我的統治哲學，我要等情況適宜才著手。」

「那是什麼時候？」小王子問道。

國王答道：「哼！哼！」他參考一部龐大的曆書，然後說：「哼！哼！大約——大約——今晚大約八點差二十分。到時候你看對方多服從我的命令！」
小王子打了個呵欠。他惋惜失去的落日。而且他已經漸漸有點心煩了。
他對國王說：「我在這邊沒什麼事可做，所以我該上路啦。」
國王好不容易有個臣屬，非常得意，他說：「別走嘛，別走嘛。我要封你爲大臣！」
「什麼大臣？」
「司法——大臣！」
「這邊無人可審判呀！」
國王對他說：「我們不能確定，我還沒巡遍我的疆土。我很老很老，這裡的空間容不下馬車，而我走路怕累。」
小王子說：「可是我已經看過了！」他回頭再看看星球的另一面。那一邊像這一邊，也沒有人……
國王答道：「那你可以評判自己。這是最難的工作。評判自己比評判別人難多了。你若能恰當評判自己，那你必是眞智者。」

小王子說：「是的，不過我到任何地方都可以評判自己。我不必住在這個星球上。」

國王說：「哼！哼！我相信我的星球某處有一隻老老鼠。晚上我聽見牠叫。你可以審判這隻老老鼠，你偶爾判牠死刑，那麼牠的生殺大權就操在你手裡了。不過每一回你都得饒了牠，得待牠寬省一點。牠是我們僅有的犯人。」

小王子說：「我不判誰死刑。現在我要上路了。」

國王說：「不。」

小王子作好了遠行的準備，他實在不願意害國王傷心。

他說：「陛下若要子民立刻服從，就該給我合理的命令。例如您該命令我再過一分鐘就走。我覺得條件很適宜……」

國王不答腔，小王子遲疑片刻，接著嘆一口氣就告辭了。

國王趕忙叫道：「我封你爲大使。」

他顯得好神氣，好有威嚴。

小王子踏上旅程，自言自語說：「大人眞奇怪。」

11 狂妄自負的人

第二個星球住著一位狂妄自負的先生。

他一看見小王子來，大老遠就叫道：「啊，啊！我正要接受一位愛慕者的訪問！」

在自負的人眼中，別人都是他的愛慕者。

小王子說：「早安，你戴的帽子好奇怪。」

自負先生答道：「這是行禮用的帽子。有人向我歡呼的時候，這頂帽子可舉起來答禮。可惜根本沒人經過這條路。」

小王子說：「怎麼？」他不懂自負先生說些什麼。

「拍手吧，」現在自負先生指揮他。

小王子拍手。自負先生舉起帽子，適度答禮。

「第二顆星球住著一位狂妄自負的人。」

「這比拜望國王有意思，」小王子自忖道。他又拍起手來。自負先生再度舉帽答禮。

此種運動作了五分鐘以後，小王子覺得單調，漸漸厭煩起來。

他問道：「有什麼辦法使帽子放下來呢？」

自負先生沒聽見他的話。自負的人除了讚美，什麼都聽不見。

他問小王子：「你眞的非常仰慕我嗎？」

「『仰慕』——是什麼意思？」

「仰慕就是說，你認爲我是這個星球上最俊美、服裝最考究、最有錢、最聰明的人。」

「不過這星球上只有你一個人呀！」

「拜託嘛。照樣仰慕我嘛。」

小王子聳聳肩說：「我仰慕你。不過這有什麼値得你關心的呢？」

小王子說完就走了。

他踏上旅途，自言自語說：「大人實在很古怪。」

12 一個酒鬼

下一個星球上住著一個酒鬼。這次參觀爲時甚短，却使小王子十分沮喪。

他發現酒鬼悶聲面對許多空酒瓶和許多裝滿的酒瓶，就對酒鬼說：「你在那邊幹什麼？」

酒鬼帶點憂鬱說：「我正在喝酒。」

「你爲什麼喝酒呢？」小王子追問道。

「喝酒可以遺忘，」酒鬼說。

小王子又問：「遺忘什麼？」他已經爲酒鬼難過了。

酒鬼低著頭繼續說：「忘記我的羞恥。」

小王子想幫助他，窮追不捨：「你有什麼恥辱？」

「我以酗酒爲恥！」酒鬼把話說完，又陷入牢不可破的沉默中。

小王子想不通，就離開了。

他繼續踏上旅途，自忖道：「大人實在非常非常古怪。」

第13 精打細算的企業家

四個星球屬於一位企業家。這個人好忙好忙，小王子來了，他連頭都不抬一下。

小王子對他說：「早安，你的香煙熄了。」

「三加二等於五。五加七等於十二。十二加三等於十五。早安。十五加七等於二十二。二十二加六等於二十八。我沒時間再把煙點起來。二十六加五等於三十一。呸！那麼總數是五億零一百六十二萬二千七百三十一。」

「五億什麼？」小王子問道。

「呃？你還在這兒？五億零一百萬——我不能停……我有好多事要做！我掛念重要的事。我不說夢話自娛。二加五等於七……」

小王子再問一遍：「五億零一百萬什麼？」他生平開口發問，決不中途罷休的。

企業家抬起頭來。

「我在這座星球上住了五十四年，只受過三次干擾。第一次是二十二年前，一隻發暈的鵝不知道從什麼鬼地方掉下來，發出可怕的噪音，吵得這兒遍地不安寧，害我加錯四個地方。第二回是十一年前，我患了風濕症，工作只好中斷。我運動不足。我沒時間閒逛。第三次——噢，對了！我剛才說，五億零一百萬——」

「五億零一百萬什麼？」

企業家知道他不答腔就不可能得到清靜。

他說：「我們偶爾在天空看到的

五億零一百萬小物體。」

「蒼蠅？」

「噢，不，小小的發光體。」

「蜜蜂？」

「噢，不是。是害懶人遊手好閒亂作夢的金色小物體。至於我嘛，我關心重要的事。我一生沒有時間偷懶作夢。」

「啊！你是指星星？」

「是的，正是——星星。」

「你怎麼處置五億星星呢？」

「五億零一百六十二萬二千七百三十一顆。我正在辦重要的事：我是很精確的。」

「你怎麼處置這些星星？」

「我怎麼處置它們？」

「是的。」

「沒有。我佔有它們。」

「你佔有星星?」
「是的。」
「可是我已經看到一位國王——」
「國王不佔有，只是統治。這是兩回事。」
「你佔有星星有什麼好處呢?」
「使我發財呀。」
「你發財又有什麼好處呢?」
「如果有人發現新的星星，我就可以買下更多星星啦。」
小王子自忖道：「這個人推理有點像可憐的酒鬼……」
然而他又提出幾個問題。
「人怎麼可能擁有星星呢?」
企業家暴躁地反駁說：「星星屬於誰?」
「我不知道。不屬於任何人。」
「那就屬於我，因爲我最先想到。」

「只要這個條件？」

「當然。你若發現一粒無主的鑽石，鑽石就屬於你。你若發現一個無主的小島，小島就屬於你。你比別人先想起一個主意，就取得專利權：權利屬於你。我也一樣：因爲沒有人比我先起意佔有星星，星星便是我的。」

小王子說：「是的，這是眞話。你怎麼處置它們呢？」

企業家答道：「我加以掌握，反覆核算。這很難。不過我這個人天生就關心重要的事情。」

小王子仍然不滿意。

他說：「我若擁有一條絲巾，我可以纏在脖子上帶著走。我若擁有一朵花，我可以採下來帶著走。但是你不能摘下天上的星星……」

「不能。但我可以把它存進銀行。」

「這話是什麼意思？」

「就是說我把星星的數字寫在一張小紙上，然後將紙片放進抽屜，用鑰匙鎖起來。」

「就這樣而已？」

「這樣就夠了，」企業家說。

小王子暗想：「眞好玩，相當詩意，却沒什麼大意義嘛。」

談到重要性的問題，小王子的看法和成人不一樣。

他繼續和企業家交談：「我自己擁有一朵花，每天澆水。我擁有三座火山，每星期打掃(我連死火山也打掃乾淨；因爲天下事很難說)。我擁有火山和花兒，對火山有點好處，對花兒也有點好處。而你對星星一點好處都沒有……」

企業家張著嘴，無辭以對。小王子走了。

他繼續踏上旅程，自忖道：「大人眞離奇啊。」

第14 忠於職守的點燈人

第五個行星很奇怪，是最小的一顆。上面只容得下一盞街燈和一個點燈人。天上一顆沒有居民、沒有房子的行星要街燈和點燈人幹什麼，小王子實在無法解釋。但他自言自語說：

「這個人容或荒謬，還不如國王、自負先生、企業家和酒徒來得荒謬哩。至少他的工作有一點意義。他點亮街燈，彷彿使一顆星星或一朵花復活了。他弄熄街燈，讓花兒或星星睡覺。這是一種美麗的職業。既然是美的，便是有用的。」

他抵達星球，恭恭敬敬問候點燈人。

「早安。你剛剛爲什麼把燈弄熄呢？」

點燈人答道：「這是命令。早安。」

「命令的內容是什麼？」

「要我弄熄街燈。晚安。」

他又把街燈點亮了。

「你剛剛爲什麼又把燈點亮呢？」

點燈人答道：「這是命令。」

小王子說：「我不懂。」

點燈人說：「沒什麼好懂的。命令就是命令。早安。」

他把燈弄熄。

接著他用一條綴有紅方塊的手帕擦擦額頭。

「我幹的這一行眞可怕。從前還算合理。我早上熄燈，晚上點燈。白天剩下的時間我可以輕鬆自如，晚上剩下的時間我可以睡覺。」

「後來命令改了？」

點燈人說：「命令沒有改，這就是悲劇！行星一年一年愈轉愈快，命令却沒有改！」

「後來呢？」小王子問道。

「我幹的這一行眞可怕。」

「後來——現在星球每分鐘轉一圈，我連一秒鐘的休息時間都沒有。我每分鐘得點燈和熄燈一次！」

「眞滑稽！你住的這個地方，一天只有一分鐘！」

點燈人說：「一點也不滑稽！我們談話的時候，一個月過去了。」

「一個月？」

「是的，一個月。三十分鐘。三十天。晚安。」

他又點起燈火。

小王子望著他，打心眼裡喜歡這個忠於職守的點燈人。他想起自己往日只要拉拉椅子就能找到落日；有心幫助他的朋友。

他說：「你知道，我可以教你一個法子，每次你想休息就能休息……」

點燈人說：「我一直想休息。」

一個人不可能又忠於職守又偷懶的。

小王子繼續解釋：

「你的星球很小，你跨三步就能繞它一圈。你只需慢慢向前走，就能永遠在陽光下。你想休息的時候，散散步——你希望白天多長，白晝就有多長。」

點燈人說：「這對我沒有多大的好處。我生平只愛睡覺。」

「那你眞不幸，」小王子說。

點燈人說：「我確實不幸，早安。」

他把街燈弄熄。

小王子繼續踏上旅程，自言自語說：「那個人——國王、自負先生、酒鬼和生意人可能瞧不起那個人。可是我覺得這些人裡面只有他不可笑。也許因爲他想著別的事，不成天想自己吧。」

他遺憾地嘆息一聲，又自忖道：

「他們之中只有這個人是我能結交的朋友。但他的星球實在太小了，容不下兩個人……」

小王子不敢承認他捨不得離開這個星球，因爲這兒每天有一千四百四十次落日！

15 地理學家

第六個星球比剛才那一個大十倍，住著一位寫大部頭作品的老先生。他看小王子來，大聲對自己說：「噢，看哪！來了個探險家！」

小王子坐在桌上，微微喘氣。他遠行很久，走了好遠好遠喔！

「你來自何方？」老先生對他說。

小王子說：「那本是什麼書？你在做什麼？」

「我是地理學家，」老先生說。

「地理學家是什麼？」小王子問道。

「地理學家是學者，知道一切海洋、河流、城鎮、高山和沙漠的位置。」

小王子說：「眞有趣！終於碰見一個眞正的專業人才了！」他四處張望，欣賞地理學家的星球。他見過的行星就數這一個最壯麗最堂皇。

他說：「你的星球美極了。上面有沒有海洋？」

「我無法告訴你，」地理學家說。

小王子很失望。「啊！有沒有山呢？」

「我無法告訴你，」地理學家說。

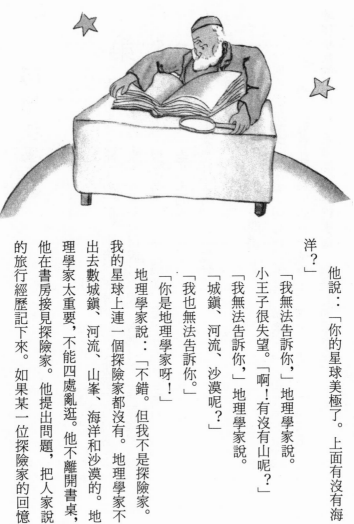

「城鎮、河流、沙漠呢？」

「我也無法告訴你。」

「你是地理學家呀！」

地理學家說：「不錯。但我不是探險家。我的星球上連一個探險家都沒有。地理學家不出去數城鎮、河流、山峯、海洋和沙漠的。地理學家太重要，不能四處亂逛。他不離開書桌，他在書房接見探險家。他提出問題，把人家說的旅行經歷記下來。如果某一位探險家的回憶勾起了他的興趣，地理學家便調查那位探險家的品格。」

「爲什麼要這樣呢？」

「探險家若說謊，會給地理學家的著作帶來災禍。酗酒的探險家也是一樣。」

「爲什麼呢？」小王子問道。

「醉漢會看見雙重畫面。於是只有一座山的地方，地理學家會誤寫成兩座。」

小王子說：「我認識一個人，他當探險家一定很差勁。」

「有可能。等地理學家證實探險家的品格不錯，再調查他發現的成果。」

「親自去看？」

「不，那太複雜了。我們要求探險家提供證據。例如新發現的是一座大山，就要他從那邊帶大石頭回來。」

地理學家突然興奮起來。

「不過你——你來自遠方！你是探險家！你得描述你的星球給我聽！」

地理學家打開大登記簿，把鉛筆削尖。探險家的故事得先用鉛筆記下來。等探險家提供證據，才用墨水寫。

「開始吧？」地理學家滿懷期望說。

小王子說：「噢，我住的地方不太有趣，好小好小。我有三座火山。兩座火山是活的，另一座是死的。不過天下事很難說。」

「天下事很難說，」地理學家說。

「我還有一朵花。」

「我們不記錄花朵，」地理學家說。

「爲什麼？花兒是我那個星球上最美的東西！」

地理學家說：「我們不記錄花兒，因爲花兒朝生暮死。」

「『朝生暮死』——是什麼意思？」

地理學家說：「一切書籍就數地理最關心重要的事，絕不會過時。山很少改變位置，海水很少枯乾。我們描寫永恆的東西。」

小王子打岔說：「不過死火山可能再活躍起來。『朝生暮死』——是什麼意思？」

地理學家說：「火山不管是死的還是活的，對我們來說都是同一回事。我們重視的是山。山不會改變。」

小王子又問一遍：「『朝生暮死』——是什麼意思？」他此生一旦發問，從不罷休。

「意思是『有快速消失的危險』。」

「我的花兒有快速消失的危險？」

「不錯。」

小王子自言自語說：「我的花兒是朝生暮死的，她只有四根棘刺可抵抗世間的侵害。我把她撇在我的星球上，孤零零一個人！」

這是他第一次感到懊悔，但他再度鼓起勇氣。

他說：「現在你建議我去參觀什麼地方？」

地理學家說：「行星地球，名聲不錯。」

小王子走了，心裡一直想著他的花兒。

16 非凡的行星——地球

第七個行星是地球。

地球可不是普通的行星喔！數一數，竟有一百一十一位國王（當然別忘記黑人的國王），七千位地理學家，九十萬個企業家，七百五十萬名酒鬼，三億一千一百萬名自負先生——也就是說，成人大約有二十億。

爲了讓你知道地球的大小，我告訴你：未發明電氣以前，六大洲的街燈共需要四十六萬二千五百十一位點燈人。

遠遠看去，這一大隊人馬必然很壯觀。這支人馬的動作可能跟歌劇院的芭蕾舞團同樣整齊劃一。首先由紐西蘭和澳洲的點燈人出場。他們點上街燈就去睡覺了。接著中國和西伯利亞的點燈人上台演出，演完就被趕到側廂去。接下來輪到俄國和印度點燈人；然後是非洲和歐洲的；然後是南美，再來是北美。他們上台的順序決不會搞錯。一定很壯觀。

只有負責北極孤燈的人，和他那位負責南極孤燈的同事——只有這兩個人不必操勞和掛心：他們一年只忙兩次。

17 滑稽的動物

人若要妙語如珠，有時候不免與事實稍有出入。我剛才跟你談點燈人，其實不太誠實。我想不認識地球的人可能會對我們的星球產生錯誤的印象。人在地球只佔很小的空間。如果住在地球表面的二十億人都直挺挺站著，擠在一塊兒，像大聚會的時候一樣，那麼只要一座二十哩長二十哩寬的大廣場就可以容下所有的人了。全體人類可以堆放在一座太平洋的小島上。

你告訴大人這些話，他們一定不相信。他們自以為佔據不少空間。他們自以為像巴奧巴比巨樹一樣重要。那你該勸他們計算一下。他們喜歡數字，一定很開心。不過，你別浪費時間算什麼。沒有必要嘛。我知道你對我有信心。

小王子到地球，沒看見半個人，感到很驚訝。他正擔心來錯了星球，忽然有一尾月光色的金蛇閃過沙漠。

「小王子到地球，沒看見半個人，感到很驚訝。」

小王子彬彬有禮說：「晚安。」

蛇也說：「晚安。」

「我來的這個星球叫什麼？」小王子問道。

「這是地球；這裡是非洲，」蛇答道。

「啊，那地球上沒有人囉？」

「這是沙漠。沙漠沒有人。地球很大哩，」蛇說。

小王子坐在一粒石頭上，抬眼凝視天空。

他說：「天上的星子亮晶晶，不知道是不是爲了讓我們每一個人將來能找到自己的星星……看看我的星球。就在我們頭頂上，可是隔得好遠喏！」

蛇說：「很美。你爲什麼來這兒？」

「我跟一朵花有點瓜葛，」小王子說。

「啊！」蛇說。

他們都悶聲不響。

小王子終於再搭訕說：「人類呢？沙漠裡有點寂寞……」

「你眞是滑稽的動物……身體不比一根手指粗。」

「人間也寂寞，」蛇說。

小王子盯著他看了好一會兒。

他終於說：「你眞是滑稽的動物，身子不比一根手指粗……」

「可是我比國王的指頭更有力，」蛇說。

小王子笑一笑。

「你不太有力。你連腳都沒有，甚至不能遠行……」

「我帶你走，可以比船載得更遠，」蛇說。

牠盤在小王子的腳踝上，像一個金色的手鐲。

蛇又說話了：「我無論碰到誰，都把他送回塵土去。但是你好天眞好誠實，你是從一顆星星上跑來的……」

小王子不答腔。

蛇說：「你引我憐惜——你在花岡岩構成的地球上顯得好脆弱。改天你若非常想念自己的星球，我可以幫助你。我可以——」

小王子說：「啊，我瞭解你的意思。你爲什麼老愛出謎題呢？」

「我解所有的謎題呀，」蛇說。

他們倆都悶聲不說話。

18 橫越沙漠

小王子橫越沙漠，只碰到一朵花。那朵花有三個花瓣，是無足輕重的小花兒。

小王子說：「早安。」

花兒說：「早安。」

小王子客客氣氣問道：「人類在哪裡？」

花兒曾看見一隊商旅走過。

「人類？我想世間有六七個人存在。幾年前我見過他們。可是誰也不知道該上哪兒找他們。風把他們吹走了。他們沒有根，所

以日子不好過。」

「再見，」小王子說。

「再見，」花兒說。

19 尖得像針的岩峯

後來小王子爬上一座高山。前述三座火山是他僅見的山嶺，高度只到他的膝蓋：他把死火山當小板凳坐。他自忖道：「從這麼高的山上看下去，我一眼就能看見整個星球和所有的人……」

但他只看見尖得像針的岩峯。

他彬彬有禮說：「早安。」

「早安——早安——早安，」回音說。

「你是誰？」小王子說。

「你是誰——你是誰——你是誰？」回音答道。

「當我的朋友吧。我孤零零一個人，」他說。

回音答道：「我孤零零一個人——孤零零一個人——孤零零一個人。」

「這個星球整個乾乾的，整個尖尖的。」

他暗想：「好奇怪的行星！整個乾乾的，整個尖尖的，粗陋又可怕。這兒的人沒有想像力。人家跟他們說什麼，他們就複述什麼……我的星球上有一朵花，她總是先開口……」

20 小王子躺在草地上哭了

小王子在沙漠、岩石和雪地間穿行良久，終於碰上一條馬路。所有的道路都通向人類住的地方。

他說：「早安。」

他站在一座開滿玫瑰的花園前面。

「早安，」玫瑰說。

小王子盯著她們。她們都長得像他的花兒。

「妳們是誰？」他大吃一驚問道。

「我們是玫瑰花，」玫瑰說。

「他躺在草地上哭起來。」

他傷心極了。他的花兒曾跟他說過，她是宇宙間獨一的品種。這邊單單一個花園就有五千朵，全都一模一樣！

他自言自語說：「她若看到了，一定很氣惱……她會咳得更可怕，她會假裝奄奄一息，免得受人譏笑。我只得假裝看護她，把她救活——我若不這樣，並低聲下氣一番，她眞的會死掉哩……」

他繼續沈思：「我自以爲很富裕，擁有全世界最獨特的一朵花，其實我擁有的只是普通的玫瑰。一朵普通的玫瑰，加上三座高僅及膝的火山——其中一座可能永遠是死的……我不算非常偉大的王子……」

他躺在草地上哭起來。

21 狐狸出現了

此時狐狸出現了。

「早安，」狐狸說。

小王子回頭，沒看到什麼，但他仍客客氣氣答道：「早安。」

那個聲音說：「我在這兒，在蘋果樹下。」

小王子問道：「你是誰？」又說，「你看起來很漂亮。」

「我是一隻狐狸，」狐狸說。

小王子建議說：「來陪我玩嘛，我心情好鬱悶。」

狐狸說：「我不能陪你玩，我還沒被人收服。」

「啊！請原諒，」小王子說。

他想了一會兒，又說：

「『收服』——是什麼意思？」

狐狸說：「你不住這兒。你在找什麼？」

小王子說：「我在找人類。『收服』——是什麼意思？」

狐狸說：「人類——他們有槍，愛打獵，挺擾人的。他們還養雞。他們只有這些樂趣。你是不是要找雞？」

小王子說：「不，我要找朋友。

『收服』——是什麼意思？」

狐狸說：「那是一種很容易被人忽略的舉動，意思是建立關係。」

「『建立關係』？」

狐狸說：「正是。你在我眼中只是一個小男孩，和其它十萬個男孩沒有兩樣。我不需要你，你也不需要我。我在你眼中只是一隻狐狸，和其它十萬隻狐狸沒有兩樣。不過你若收服我，我們就少不了彼此了。在我眼中你是全世界獨一無二的。在你眼中我也是全世界獨一無二的……」

小王子說：「我漸漸明白了。有一朵花……我想她收服了我……」

狐狸說：「有可能。地球上什麼樣的事都有！」

「噢，不是在地球上！」小王子說。

狐狸似乎不懂，覺得很好奇。

「在別的星球上？」

「是的。」

「那個星球上有沒有獵人？」

「沒有。」

「啊，眞有趣！有沒有雞？」

「沒有。」

「天下沒有十全十美的事，」狐狸嘆口氣說。

但是牠回到剛才的話題。

牠說：「我的生活很單調，我獵雞，人獵我。所有的雞都是一樣的，所有的人類也一樣。結果我感到心煩。可是你若收服我，就好像陽光照亮了我的生命。我會認出有一陣腳步聲與別人不同。別的腳步聲使我匆匆躲回地下。你的腳步聲就像音樂，會吸引我走出狐洞。而且你瞧瞧：你看見那邊的麥田沒有？我不吃麵包。麵粉對我沒有用處。麥田吸引不了我。眞可悲。但你的頭髮是金色的。想想你收服我之後有多妙！麥子也是金色的，我看了就想起你。我會喜歡聽麥田裡的風聲……」

狐狸打量小王子好一段時間。

「拜託——收服我嘛！」牠說。

小王子答道：「我很想這麼做，却沒有時間。我要找朋友，還要去瞭解好多事。」

狐狸說：「人只瞭解他收服過的東西。人類再也沒有時間瞭解什麼了。他們到店鋪買現成的。可是天下沒有買得到友誼的店鋪，所以人類不再有朋友。你若要找朋友，請收服我吧……」

「我要怎麼樣收服你呢？」小王子問道。

狐狸說：「你必須很有耐心。首先你坐在草地上，和我隔一段距離——就這樣。我會用眼角偷看你，你一句話也不說。語言是誤解之源。你每天坐得離我愈來愈近……」

第二天小王子回來了。

狐狸說：「每天同一個時間回來比較好。例如你下午四點來，我三點就開始興奮。時間一分一秒接近，我愈來愈開心。四點鐘我已憂心忡忡，跳來跳去了。我要讓你看看我多開心！反之，你若隨時會來，我不知道我的心該在什麼時刻準備迎接你……人必須遵守恰當的禮儀……」

「禮儀是什麼？」小王子問道。

狐狸說：「那也是常被人忽略的舉動。禮儀使某一個日子和別的日子不一樣，某一個時間和別的時間不一樣。例如獵人之間有一種禮俗。他們每星期四和村姑們跳舞。所以星期四對我來說是好日子！我可以散步到葡萄園去。如果獵人不按時跳舞，那每天都和其他的日子差不多，我就永遠沒有假期了。」

於是小王子收服了狐狸。等分離的時刻近了——

狐狸說：「啊，我會哭的。」

小王子說：「都怪你自己不好。我從來不想傷害你；你

「例如你下午四點來，
我三點就開始興奮。」

却要我收服你……」

「是的，不錯，」狐狸說。

「現在你眼看要哭出來！」小王子說。

「是的，不錯，」狐狸說。

「那麼這件事對你一點好處都沒有！」

狐狸說：「對我有好處，因爲麥田是金色的。」然後又說：

「再去看看玫瑰花吧。你會瞭解你的花兒是全世界獨一無二的。然後回來跟我道別，我要送你一項秘訣當禮物。」

小王子告辭，又去看玫瑰花。

他說：「妳們根本不像我的玫瑰。妳們還算不了什麼。沒有人收服妳們，妳們也沒有收服誰。妳們就像我初認識的狐狸。牠和其它十萬隻狐狸沒有兩樣。可是我將牠化爲我的朋友，現在牠是全世界獨一無二的。」

玫瑰花都很尷尬。

他繼續說：「妳們很美，却空空洞洞的。人不會爲妳們死。當然啦，一般行人必定以爲我的玫瑰花跟妳們一樣——我是指那朵屬於我的玫瑰。可是她比妳們幾百朵幾千朵更重要：因爲我澆水灌漑的是她；因爲我放在玻璃罩下的是她；因爲我用屏障遮的是她；因爲我殺毛蟲（只留下兩三條，讓牠們變蝴蝶）是爲了她；因爲發牢騷、吹牛甚至悶聲不響給我聽的也是她。因爲她是我的玫瑰。」

他回去見狐狸。

「再見，」他說。

狐狸說：「再見。我的秘訣如下，非常簡單：人唯有用心靈才看得眞；要緊的東西眼睛是看不見的。」

小王子跟著說：「要緊的東西眼睛是看不見的。」他設法記住。

「你爲你的玫瑰耗掉很多時間，你的玫瑰才變得如此重要。」

小王子說：「我爲我的玫瑰耗掉很多時間——」他設法記住。

狐狸說：「人類已忘掉這個眞理，可是你千萬別忘記。你對自己收服的東西永遠有責任，你該爲你的玫瑰負責……」

小王子跟著說：「我該爲我的玫瑰負責。」他設法記在心裡。

22 燈火通明的快車

「早安，」小王子說。

「早安，」鐵路扳閘夫說。

「你在這邊幹什麼？」小王子問道。

扳閘夫說：「我將旅客分爲一千名一千名的批次。我遣走載運他們的火車。有時候向右，有時候向左。」

一輛燈火通明的快車衝過去，吼聲如雷，把扳閘夫的小屋震得搖搖晃晃。

小王子說：「他們來去匆匆。他們要找什麼？」

「連火車司機都不知道，」扳閘夫說。

又有一輛燈火通明的快車轟隆轟隆開過，駛往反方向。

小王子問道：「他們已經回來啦？」

「這不是同一批人。是互換的,」扳閘夫說。

「他們不滿意原來的地方?」小王子問道。

「沒有人會滿意原來的地方,」扳閘夫說。

他們聽見第三輛燈火通明的快車轟隆轟隆響。

「他們是不是要追第一批旅客?」小王子問道。

扳閘夫說:「他們根本沒追什麼。他們在裡面睡覺,不睡覺就打呵欠。只有小孩子把鼻子貼在玻璃窗上。」

小王子說:「只有小孩知道他們要找什麼。他們爲一個破布娃娃耗費很多時間,娃娃在他們眼中便成了重要的東西;若有人把它拿走,他們會哭的……」

「他們眞幸運,」扳閘夫說。

23 一汪新鮮的泉水

「早安，」小王子說。

「早安，」商人說。

這是一位賣止渴丸的商人。你一星期只要吞一粒藥丸，就不需要喝什麼。

「你爲什麼要賣這些藥丸呢？」小王子問道。

商人說：「因爲可以省下大量的時間。專家計算過。吃這些藥丸，你每星期可省下五十三分鐘。」

「我要怎麼消磨這五十三分鐘呢？」

「愛做什麼就做什麼……」

小王子自忖道：「我嘛，我若有五十三分鐘可隨

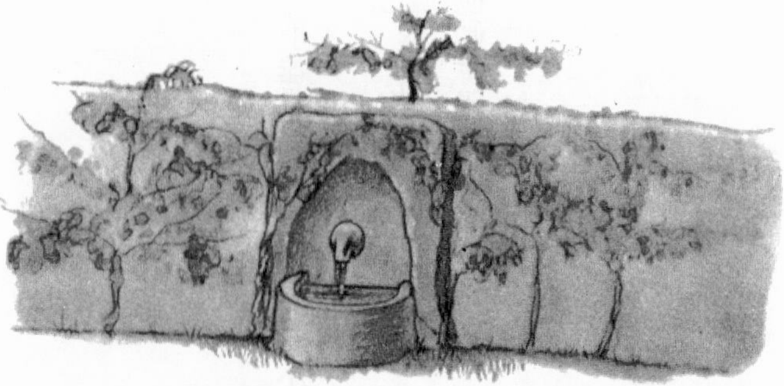

意支配，我要悠哉游哉走向一汪新鮮的泉水。」

24 房子·星星·沙漠

我在沙漠中失事已經第八天了，我聽完商人的故事，正在喝最後一滴水。

我對小王子說：「啊，你這些回憶很迷人；但是我還沒把飛機修好；喝的水也沒有了。我若能悠哉游哉走向一汪新鮮清泉，我也會很快樂！」

「我的朋友狐狸——」小王子對我說。

「親愛的小人兒，這件事和狐狸沒有關係！」

「爲什麼沒有？」

「因爲我快要渴死了……」

他不懂我的推論，回答說：

「就算快要死了，有個朋友也不錯。譬如我就很高興有個狐狸朋友……」

我自忖道：「他不可能猜到危險性。他沒餓過也沒口渴過。他只需要一點陽光……」

但他一直望著我，竟對我心裡的念頭提出答辯：

「我也渴。我們來找一口井吧……」

我揮手表示心煩。在浩瀚的沙漠中亂找水井未免太荒謬。但我們仍舉步向前走。

我們默默走了幾個鐘頭，天黑了，星星開始出現。我渴得有點發燒，望著星星宛如作夢。小王子的最後一句話恍恍惚惚回到記憶中。

我問道：「那你也口渴囉？」

他沒答覆我的問題。他只對我說：

「水對心靈可能也有好處……」

我不懂這個答案，但我沒開口。我知道要盤問他是不可能的。

他累了。他坐下來，我坐在他旁邊。沉默片刻之後，他又說：

「星星眞美，因爲有一朵看不見的花。」

我回答說：「是的，的確如此。」我沒再說什麼，靜靜眺望月光下一望無際的沙丘。

小王子又說：「沙漠眞美。」

這是眞話。我一向喜歡沙漠。人坐在沙丘上，什麼都看不見，什麼都聽不見。可是寂靜中有一股悸動，亮閃閃的……

小王子說：「沙漠美，是因爲沙漠的某一個地方藏有水泉……」

我大吃一驚，突然明白沙漠中那股神秘的光輝了。我小時候住一棟老房子，據聞那邊埋有寶藏。沒有人知道該怎麼尋寶；也許根本沒人看過寶藏。但那棟房子因此有一股魔力。我家的核心深處藏有秘密哩……

我對小王子說：「房子，星星，沙漠——是某種看不見的東西使它們顯得這麼美！」

他說：「你和我的狐狸朋友意見相同，我很高興。」

小王子睡著了，我抱著他繼續向前走。我深受感動，心情亂紛紛。我彷彿抱著一個非常脆弱的寶物。我甚至覺得整個地球上沒有比他更脆弱的東西。我在月光下望著他蒼白的額頭、緊閉的雙眼、隨風顫動的髮絲，對自己說：「我眼前看到的只是一個軀殼，更重要的東西是看不見的……」

他微微張開嘴巴，似笑非笑，我又對自己說：「睡在這兒的小王子，他最叫我感動的是對一朵花忠心耿耿——玫瑰的形影像一盞燈的火焰照亮了他的整個生命，連他睡著的時候都如此……」我更覺得他脆弱。我覺得有必要保護他。彷彿他自己就是一道火焰，微風一吹就會熄掉……

我就這樣繼續往前走，破曉時分找到了水井。

25　開始拉動滑輪

小王子說：「人類乘快車上路，却不知道自己找什麼。於是他們趕來趕去，激動得要命，直兜圈子……」

他還說：

「不值得這麼費事嘛……」

我們找到的水井不像撒哈拉的沙漠井。撒哈拉的水井只是在沙地裡挖個洞。這一口很像村井。可是這邊沒有村莊，我以爲自己是作夢……

我對小王子說：「眞奇怪，樣樣都是現成的：滑輪、水桶、繩子……」

他笑著碰碰繩子，開始拉動滑輪。滑輪咔吱咔吱響，像一具老早就被風遺忘的老風信雞。

小王子說：「你聽到沒有？我們把水井叫醒了，它正在唱歌呢……」

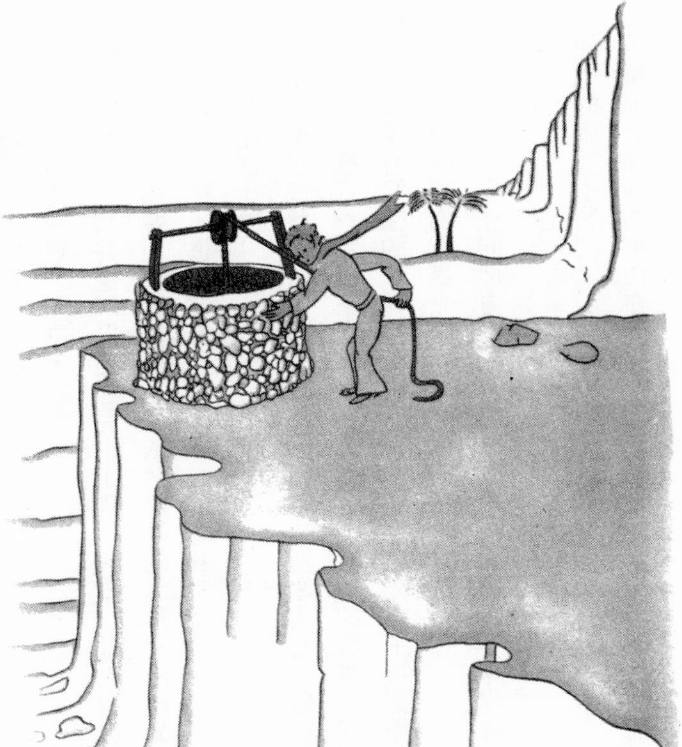

「他笑著碰碰繩索，開始拉動滑輪。」

我不希望他拉繩子拉得太累。

我說：「留給我弄吧。你拉太吃力了。」

我慢慢把水桶拉到井邊，擺在那兒——雖然疲倦，却對自己的成果很滿意。滑輪的歌聲仍在耳中迴響，我看見陽光在依然顫動的水裡發出幽光。

小王子說：「我好想喝這水。給我喝一點嘛……」

我明白他在找什麼。

我將水桶舉到他唇邊，他閉著眼睛喝了。味道像大宴一般香甜。這些水眞的和普通的養分不一樣。香甜感來自星光下的步行、滑輪的歌聲、我雙臂的努力；像禮物一般，對心靈有好處的。我小時候，聖誕樹的燈光、午夜彌撒的音樂、溫柔的笑臉……使我收到的禮物充滿光輝。

小王子說：「你住的地方，人們在一座花園裡種五千株玫瑰——他們從中找不到自己要追尋的東西。」

「他們的確找不到，」我回答說。

「可是他們追尋的東西在一朵玫瑰或一點點水中可以找到。」

「是的，這話不假，」我說。

小王子又說：

「眼睛是看不見的，得用心靈去看……」

我喝了水，呼吸很順暢。日出時分，沙地呈蜂蜜色。那種蜂蜜的色澤也叫我開心。那麼，這股悲哀的感覺是哪裡來的呢？

小王子再度坐在我旁邊，柔聲說：「你必須遵守諾言。」

「什麼諾言？」

「你知道——替我的綿羊畫個口套……我對那朵花有責任的……」

我由口袋裡拿出粗陋的畫稿。小王子看了一遍，笑著說：

「你畫的巴奧巴比樹——看來有點像捲心菜。」

「噢！」

我曾以筆下的巴奧巴比樹為榮哩！

「你畫的狐狸——耳朵有點像角；而且太長了。」

他又笑起來。

我說：「你不公平，小王子。除了大蟒蛇的外部和內部，我什麼都不會畫。」

他說：「噢，沒關係，小孩看得懂。」

於是我用鉛筆畫了一個口套。我交給他的時候，心如刀割。

「你訂了計劃，不告訴我，」我說。

他沒答覆我的問題，倒說：

「你知道──我在地球著陸……明天就滿一周年了。」

沉默片刻之後，他又說：

「我著陸的地方離這兒很近。」

他臉紅了。

不知道爲什麼，我又感到一股奇特的悲哀。我突然想起一個問題：

「那麼，我初遇你的那天早上──一週以前──你遠離人煙一千哩，獨自漫步，並不是偶然的囉？你正要回到你著陸的地方？」

小王子又臉紅了。

我帶點猶豫說：

「也許是因爲周年的關係？」

小王子又面紅耳赤。他從不答覆問題——可是人臉紅不正表示「對」嗎？

我對他說：「啊，我有一點害怕——」

但是他打斷了我的話。

「現在你得幹活兒。你得回去修引擎。我在這邊等你。明天傍晚再回來吧……」

可是我並不安心。我想起狐狸。如果一個人被收服了，就有可能落淚……

26 我要由牆頂跳下去了

水井邊有一座老石牆的廢墟。第二天傍晚我工作回來，遠遠就看見我的小王子坐在這堵牆上，兩腳盪呀盪的。我聽見他說：

「那你不記得了。這並不是原先的地點。」

大概有什麼聲音答了腔，他又回應道：

「是，是！正是這一天，地點卻不對。」

我繼續向牆邊走。我沒看見人也沒聽見人聲。可是小王子再度答道：

「——沒有錯。你在沙地上可以看見我足跡的起點。你只管在那邊等我。我今夜就到那兒去。」

我離石牆只有二十公尺，依舊沒看見什麼。

小王子沉默一會又說話了：

「你有好毒液？你確定不會讓我吃太長的苦頭？」

我停下腳步，心都碎了；但我還是不懂。

小王子說：「現在走開。我要由牆頂跳下去了。」

我這才俯視牆腳——不禁跳起半天高。我面前有一條三十秒就能叫人送命的黃蛇，正面對小王子。我一面伸手掏口袋裡的手槍，一面猛向後退一步。可是黃蛇聽見我的聲音，像一道即將消逝的流泉，徐徐流過沙地，不一會兒就消失在石堆裡，發出脆脆的小響聲。

我及時趕到牆邊抱住我的小人兒；他面如白雪。

我追問道：「這是什麼意思？你爲什麼跟蛇講話呢？」

我鬆開他經常戴在身上的金色圍巾；用水沾濕他的太陽穴，給他喝點水。現在我不敢再問他什麼問題。他一本正經望著我，伸手抱住我的脖子。我覺得他的心像中彈垂死的鳥兒，跳得好厲害……

他說：「你找出引擎的毛病，我眞高興。現在你可以回家了——」

「你怎麼知道？」

「現在走開……我要由牆頂跳下去了。」

我正要來告訴他：我的工作成功了，遠比我奢望的更爲圓滿。

他沒答覆我的問題，却說：

「我今天也要回家……」

接著傷心地說——

「路途遠多了……難多了……」

我知道一件不尋常的事快要發生了。我把他當成幼兒抱在懷裡，總覺得他正衝向一個深淵，我攔不住他……

他的表情很嚴肅，像一個迷失在遠處的人。

「我有了你畫的綿羊。我有了裝綿羊的箱子。我還有口套……」

他向我露出悲哀的笑容。

我等了很久，發現他正漸漸恢復生機。

我對他說：「親愛的小人兒，你怕……」

他害怕，這是無庸置疑的。但他笑得很輕鬆。

「今天傍晚我會更怕……」

我感覺事態無法彌補，不禁全身發僵。想到我再也聽不見他的笑聲，我實在受不了。我覺得那種笑聲像沙漠中的清泉水。

我說：「小人兒，我想再聽你笑。」

但是他對我說：

「今夜正好滿一年……到時候我的星星會在一年前我登陸地球的地點上空……」

我說：「小人兒，告訴我這只是一場惡夢——蛇的事情和相會點，以及星星等都是一場夢……」

他未答覆我的請求，却說：

「重要的是看不見的東西……」

「是的，我知道……」

「花兒也是如此。你若愛上某一顆星球上的一朵花，晚上看天空會覺得甜蜜。所有的星星都開滿鮮花……」

「是的，我知道……」

「水也是一樣。由於那滑輪和繩索，你給我喝的水像音樂似的。你記得——眞美好。」
「是的，我知道……」
「晚上你會抬頭看星星。我住的地方樣樣都好小，我不能指給你看我的星星在什麼地方。這樣更好。在你眼中，我的星球是眾星之一。你會喜歡看天上所有的星星……它們都成了你的朋友。何況我要送你一樣禮物……」
他又笑了。
「啊，小王子，親愛的小王子！我愛聽那種笑聲！」
「這就是我的禮物。如此而已。跟我們喝水時一樣……」
「你想說什麼？」
他回答說：「人人都有星星，可是星星在不同的人眼中意義不相同。星星對旅人而言是一種指引。對別人來說只是空中的小光點罷了。在學者心目中，星星是待解的問題。我認識的企業家把它們當做財富。可是他們的星星默默無語。你——只有你——擁有的星星和別人不一樣——」
「你想說什麼？」

「我將住在其中一顆星星上。我會在一顆星星上笑。所以你晚上看星星，就好像所有的星星都在笑似的……你——只有你——擁有會笑的星星！」

他又笑了。

「等你的悲哀化解後（時間能撫平一切悲哀），你會慶幸認識了我。你將永遠是我的朋友。你會希望跟我一起笑。有時候你開窗享受那種樂趣……你的朋友看你抬眼望天空，居然笑起來，可能很驚訝！你便對他們說：『是的，星星總是惹我發笑！』他們一定以爲你瘋了。那我對你玩的把戲會顯得很卑鄙……」

他又笑了。

「好像我給你看的不是星星，而是一大堆會笑的小鐘鈴……」

他笑起來。瞬間又變得一本正經：

「今夜——你知道……不要來。」

「我不離開你，」我說。

「我可能顯得很痛苦，可能像垂死的人。就是這樣。別來看。不值得惹這個煩惱……」

「我不離開你。」

但他很擔心。

「我告訴你——也因爲那條蛇。千萬不能讓牠咬你。蛇——是惡毒的動物。這條蛇也許會爲了好玩而咬你一口……」

「我不離開你。」

他轉念一想，又放心了。

「牠沒有毒液可咬第二回。」

那天夜裡我沒看見他動身。他不聲不響走了。我追上他的時候，他以迅速又堅定的步伐往前走。他只對我說：

「啊，你在那兒……」

他拉住我的手，但他仍然很擔心。

「你來眞不應該。你會難過的。我看起來可能會像死人，其實不是眞的……」

我沒說話。

「你明白……太遠了。我不能帶這個軀殼走。太重了。」

我沒說話。

「不過那只是像一具廢棄的舊殼。舊殼沒什麼好傷心的……」

我沒有說話。

他有點灰心，但他再試一次：

「你知道，那樣一定不錯。我也會看星星。一切星星都像水井和生銹的滑輪。一切星星都會湧出新鮮的水給我喝……」

我沒說話。

「那一定很好玩！你將擁有五億小鐘鈴，我則擁有五億道清泉水……」

他也不再說話，因爲他哭了……

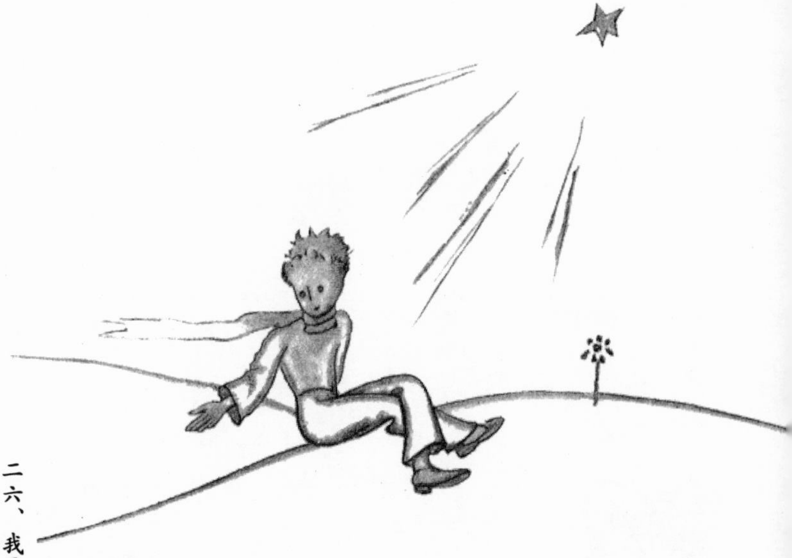

「喏，到了。讓我一個人走吧。」

他心裡害怕，便坐下來。後來他又說：

「你知道——我的花……我對她有責任。她好脆弱！她好天眞！她只有四根沒用的棘刺可防衛世間的傷害……」

我也坐下來，因爲我實在受不了啦。

「喏——沒別的了……」

他還猶豫了一會兒，才站起來。他向前走一步，我動都動不了。

除了他足踝邊的一道黃閃光，那邊什麼都沒有。他靜止片刻，沒叫出聲，像一棵樹靜靜倒下去。因爲是沙地，根本沒發出聲音。

「他像一棵樹靜靜倒下去，根本沒發出聲音。」

27 大人不瞭解這件事

現在已事隔六年……我從來沒對人說過這個故事。我歸來後，朋友們碰到我，看我還活著，就安心了。我傷心欲絕，却跟他們說：「我很累。」

現在我的悲哀略微平復了一點——也就是說，尚未完全平復。我知道他確實回到他的星球上去了，天亮時我並沒有找到他的屍體。他的身體畢竟不太重……夜晚我愛看星星。星星就像五億個小鐘鈴……

可是有一件事非比尋常……我替小王子畫動物口套時，忘了加上皮帶：他永遠不能將口套繫在綿羊頭上。所以現在我一直暗想：他的星球上出了什麼事？也許綿羊已經把那朵花吃掉了……

有時候我對自己說：「絕對不會！小王子每夜將花兒放在玻璃罩下，而且他每天小心翼翼守著他的綿羊……」於是我很開心。所有星星的笑聲都甜甜的。

可是有時候我對自己說：「人偶爾會心不在焉，那就夠了！某一天晚上他忘了蓋玻璃罩，或者夜裡綿羊悄悄出來……」於是小鐘鈴都化為眼淚……

喏，大奧秘就在此。對於也愛上小王子的你來說，對於我來說，如果某一個我們不知道的地方有一隻我們沒見過的綿羊，牠——有沒有呢？——吃了一朵玫瑰，宇宙間的一切都會改觀……

仰望天空吧。問問自己：有沒有？綿羊吃了花兒沒有？你就明白一切都不同了……

沒有一個大人瞭解這件事的重要性！

我覺得這是世間最迷人最悲哀的風景。景致和前一頁差不多，但我再畫一遍，加深你的印象。小王子就是在此出現於地球，又在此地消失的。

仔細看看吧，如果有一天你到非洲沙漠旅行，一定認得出來。萬一你碰巧來到這個地點，請不要匆匆趕路，在星辰下等一段時間吧。如果有一個小人兒出現，他愛笑，頭髮呈金黃色，又不肯答覆問題，你就知道他是誰了。萬一出了這種事，請安慰安慰我吧。捎個口信告訴我「他回來了」。

聖修伯理年譜

一九〇〇年　安特瓦・德・聖修伯理出生於法國里昂市的名門家庭，是尙馬爾克・德・聖修伯理伯爵和妻子安朶蕾・波華伊・德・封柯隆布的長男。

一九〇四年　四　歲　父親逝世。

一九〇九年　九　歲　全家人移住到勒曼市。十月，進入德・桑特克洛瓦聖母院學校就讀。

一九一二年　一二歲　七月底在安貝里登上飛機，這是安特瓦第一次的飛行。

一九一四年　一四歲　題名爲「帽子的故事」的作文，獲得全校最優秀作文獎，開始展現文學的天分。

一九一七年　一七歲　六月，通過大學入學資格考試。十月，赴巴黎，成爲波休耶學校的寄宿生，準備接受海軍學校考試，同時在聖路易學校就讀。

一九一九年　一九歲　未能通過海軍學校考試，第二年，到美術學校建築科旁聽。

一九二一年　二一歲　四月九日，接受征召，進入史特拉斯堡第二飛行戰鬥連隊服役，擔任維修工作。私下到民間飛行場接受飛行訓練。八月轉調摩洛哥第三十七飛行連隊，十二月二十三日取得軍方飛行員執照。

一九二二年　二二歲　二月，升爲下士。四月起，以預備士官候補的身分到法國中部的阿波爾受訓，十月，升爲少尉，派調到魯・布爾傑第三十四飛行連隊。

一九二三年　二三歲　六月五日，解除兵役，雖然表示志願繼續留役，但因爲未婚妻露伊絲・德・比爾莫蘭家人的反對，只得作罷，進入波瓦隆・塔爾製造公司。

一九二五年　二五歲　執筆寫作只發表過原稿的『舞蹈姑娘瑪儂』。

一九二六年　二六歲　於「納比爾・達爾詹」雜誌二月號發表短篇小說『飛行家』。

七月，取得運輸機飛行員執照，十月十四日，進入茲爾斯的拉第格航空公司。

一九二八年　二八歲　被任命爲由比岬角機場長，在這裡執筆寫作『南方航線』。

一九二九年　二九歲　三月，回法國，『南方航線』出版。與紀德相識。十月十二日，被任命爲郵政航空阿根廷分公司主管，到布宜諾斯艾利斯赴任。

一九三〇年　三〇歲　四月七日，獲頒榮譽勳位團騎士勳章。開始執筆寫作『夜間飛行』。

一九三一年　三一歲　四月十二日，在亞葛教堂與康絲愛洛結婚。五月起，擔任卡薩布蘭加與保爾·葉契安航線的飛行工作。『夜間飛行』出版，十二月四日，獲得費密納獎。

一九三二年　三二歲　二月起，擔任馬賽與阿爾及利亞之間的水上飛機飛行工作。八月起，飛行卡薩布蘭加與達卡之間的航線。

一九三四年　三四歲　進入新成立的法國航空宣傳部。

一九三五年　三五歲　經濟陷入窘境，擔任「巴黎晚派」特派員赴莫斯科採訪，五月起爲該報寫報導，同時投稿給「法航評論」，在法國各地、北非和土耳其演講。決定破安德雷・傑比巴黎、西貢間的飛行記錄，十二月二十九日向埃及出發，三十一日凌晨，迫降在距開羅二百公里遠的沙漠中。

一九三六年　三六歲　接受「朗德蘭西尙」報紙派遣至西班牙報導革命消息。開始執筆寫作『城堡要塞』。『南方航線』改編爲電影劇本。

一九三七年　三七歲　二月，爲法航開闢的新航線做測試飛行。六月和七月，接受「巴黎晚報」派遣，赴西班牙採訪。

一九三八年　三八歲　獲得允許飛行紐約到斐格島（南美大陸南端），二月十五日從紐約出發，但在瓜地馬拉因墜機受重傷，三月二十八日回紐約療養。

一九三九年　三九歲　二月，『人類的土地』出版，獲頒法蘭西學院小說獎，六月，美國出版翻譯本，改題『風和沙與星星』，被選爲「每月優良圖書」。九月一日，第二次世界大戰爆發，九月四日，收到動員令。

一九四〇年　四〇歲

二月十四日，『風和沙與星星』在紐約被指定爲「每年優秀圖書」，六月九日，所屬飛行大隊轉進到阿爾及利亞，七月三十一日，動員令解除。八月八日，離開阿爾及利亞。十一月，到葡萄牙，準備逃亡美國。十二月三十一日，抵達紐約。

一九四一年　四一歲

一月，接受一九三九年度全國圖書獎。十一月，妻子康絲愛洛抵達紐約。

一九四二年　四二歲

二月，『戰鬥飛行員』英語版『阿拉斯飛行』出版。五月，赴加拿大講演旅行。

一九四三年　四三歲

『給某人質的信』（二月）、『小王子』（四月）在紐約出版。五月五日，抵達北非，加入原來的飛行連隊。七月二十一日，開始接受任務出擊。八月十一日，被禁止飛行。八月十九日，離開連隊，寄居在朋友家裡，專心執筆『城堡要塞』。

一九四四年　四四歲

四月，編入昔日好友夏桑上校的第三十二爆擊戰隊，五月十六日，獲准重返原來所屬連隊。七月十七日，連隊轉移到科西嘉島上的波爾可基地。七月三十一日上午八時三十分，接受任務向里昂、安貝里飛去，隨即失去踪影。

新潮文庫

⊙小說欣賞系列

5	卡拉馬助夫兄弟們	杜思妥也夫斯基著
12	馬克吐溫名作選(12個短篇)	馬克吐溫著
16	美麗與悲哀	川端康成著
20	蛻　變(4個中篇)	卡夫卡著
21	沙特小說選(4個中篇)	沙　特著
23	美麗新世界(烏托邦小說)	赫胥黎著
26	羅生門・河童(9個短篇)	芥川龍之介著
27	地獄變(15個短篇)	芥川龍之介著
29	審　判	卡夫卡著
30	白　牙(動物文學)	傑克・倫敦著
32	瘟　疫(又名：黑死病)	卡　繆著
34	黑暗的心(海洋文學)	康拉德著
35	徬徨少年時	赫　塞著
42	悲愴的靈魂(集中營一日記)	索善尼津著
43	愛的饑渴	三島由紀夫著
44	金閣寺	三島由紀夫著
46	鄉　愁(回憶式的自傳體裁)	赫　塞著
52	心靈的歸宿	赫　塞著
56	生命之歌(一個音樂家的故事)	赫　塞著
58	誘惑者的日記(日記體裁)	齊克果著
60	聖潔的靈魂(7個中短篇)	杜思妥也夫斯基著
64	美麗的青春(5個短篇)	赫　塞著
65	藝術家的命運(一個畫家的故事)	赫　塞著
66	白　夜(4個中篇)	杜思妥也夫斯基著
69	東方之旅(3個中短篇)	赫　塞著
70	漂泊的靈魂	赫　塞著
73	馬爾泰手記	里爾克著
74	魂斷威尼斯	托瑪斯曼著
75	諾貝爾獎短篇小說集	泰戈爾等16位著
82	小丑眼中的世界	磐　爾著
88	菸草路	柯德威爾著
93	翻譯與創作(12個短篇)	顏元叔譯著
96	法國短篇小說選(44個短篇)	卡繆、左拉等著
99	屋頂間的哲學家(12個日記體裁)	梭維斯特著
101	冰島漁夫(海洋文學)	畢爾・羅逖著
102	侏　儒	拉格維斯特著
106	少女與吉卜賽人	勞倫斯著
108	荒野之狼	赫　塞著

新潮文庫

新潮文庫

⊙名人、偉人傳記

新潮文庫

⊙文學評論及介紹

⦿社會學系列

235	現代潮流與現代人	索羅金著
287	改變歷史的經濟學家	海爾布魯諾著
356	第二性：形成期（第一卷）	西蒙・波娃著
357	第二性：處境（第二卷）	西蒙・波娃著
358	第二性：正當的主張與邁向解放（第三卷）	西蒙・波娃著

⦿讀書系列

7	讀書的藝術	叔本華等著
11	讀書的情趣	培根等著
87	書與你（世界名著導讀）	毛　姆著
109	一生的讀書計畫	費迪曼著
158	讀書隨感	赫　塞著
172	讀書與人生	小林秀雄等著
177	文學欣賞的樂趣	莫洛亞著
223	我的讀書經驗	龜井勝一郎著

⦿禪學系列

61	禪與心理分析	佛洛姆、鈴木大拙著
62	禪與生活	鈴木大拙著
68	禪學隨筆	鈴木大拙著
236	禪的故事（禪肉禪骨）	李普士著
280	禪的世界	蘭絲・羅斯著
295	耶教與佛教的神秘教	鈴木大拙著
303	禪海之筏	陳榮波博士著
319	鈴木大拙禪論集：歷史發展	鈴木大拙著
327	鈴木大拙禪論集：開悟第一	鈴木大拙著

⦿史懷哲系列

89	文明的哲學	史懷哲著
119	原始森林的邊緣	史懷哲著
154	非洲故事	史懷哲著
159	史懷哲傳	哈格頓等著
169	非洲行醫記	史懷哲著
331	史懷哲的世界	陳五福等著

新潮文庫

⊙新潮世界名著全集（精裝本）

⊙新潮推理

14 失蹤 夏樹靜子著
15 毒海怒濤 水上勉著
16 三色貓幽靈俱樂部 赤川次郎著
17 三色貓恐怖館 赤川次郎著
18 血與玫瑰(5個短篇) 赤川次郎著
19 幽靈列車(5個短篇) 赤川次郎著
20 污染海域 西村京太郎著
21 恐怖的星期五 西村京太郎著
22 新幹線謀殺案 森村誠一著
23 勇探魔穴 森村誠一著
24 香港旅行謀殺案 齋藤榮著
25 詐婚(10個短篇) 松本清張著
26 紅籤(9個短篇) 松本清張著
27 宦海沈冤 松本清張著
28 魔鬼女人(4個短篇) 赤川次郎著
29 東西南北謀殺案(4個短篇) 赤川次郎著
30 三色貓狂死曲 赤川次郎著
31 蜜月列車兇殺案(4個短篇) 西村京太郎著
32 臥舖特快謀殺案 西村京太郎著
33 天使的傷痕 西村京太郎著

34 東京機場謀殺案 森村誠一著
35 霧與影 水上勉著
36 迷幻四重奏 赤川次郎著
37 從過去來的女人 赤川次郎著
38 消遣兇殺案 赤川次郎著
39 殺人滅口(7個短篇) 西村京太郎著
40 人類生蛋時(11個短篇) 佐野洋著
41 美人計(7個短篇) 棒山季之著
42 忘了唱歌的金絲雀(11個短篇) 西村京太郎著
43 高原鐵路殺人事件(5個短篇) 西村京太郎著
44 殺人機器的控訴(5個短篇) 松本清張著
45 77班機事件幕後案(5個短篇) 夏樹靜子著
46 青春的徬徨(8個短篇) 松本清張著
47 賣馬的女人(2個中篇) 松本清張著
48 周末驚魂(3個中篇) 赤川次郎著
49 鬼女面具殺人事件 西村京太郎著
50 獄門島 橫溝正史著

⊙新潮短篇推理

1 日本短篇推理精選(之一) 松本清張等7位著

2 日本短篇推理精選(之二) 佐野洋等7位著
3 日本短篇推理精選(之三) 夏樹靜子等7位著
4 日本短篇推理精選(之四) 石澤英太郎等7位著
5 日本短篇推理精選(之五) 西村京太郎等7位著
6 日本短篇推理精選(之六) 草野唯雄等7位著
9 日本短篇推理精選(之七) 松本清張等6位著
10 日本短篇推理精選(之八) 星新一等9位著
11 日本短篇推理精選(之九) 仁本悅子等7位著

⊙新潮世界推理

1 莫爾格街兇殺案(及4個短篇) 愛倫・坡著
2 血字的研究/四個簽名 柯南・道爾著
3 巴斯克維爾的獵犬/恐怖谷 柯南・道爾著
4 冒險史(短篇) 柯南・道爾著
5 瀛海奇案(短篇) 柯南・道爾著
6 歸來記(短篇) 柯南・道爾著
7 魔鬼的脚(短篇) 柯南・道爾著
8 蒙面房客(短篇) 柯南・道爾著
9 赫拉克雷斯的冒險(短篇) 克里斯蒂著
10 雲中謀殺疑案 克里斯蒂著

11 怪盜亞森・羅蘋(短篇) 盧布朗著
12 羅蘋的告白(短篇) 盧布朗著

⊙新潮新刊(售完爲止,不再再版)

2 智識人的良知 孫慶餘等著
7 西洋名人戀愛軼事 秦雲編著
9 西歐旅情 鄭源錦著

⊙新潮大學叢書

1 西洋文學批評史 顏元叔譯
2 世界戲劇藝術的欣賞(世界戲劇史) 胡耀恆譯
3 文學論(文學研究方法論) 王夢鷗等譯
5 現代德語文法 宣誠編著
6 映像藝術 翟德爾著
7 德英辭典 本社編

⊙新潮少年文庫(25開精裝本)

1 快樂的牧民一家人 〔瑞典〕湯蓓・楊松著
2 牧民谷的冬天 〔瑞典〕湯蓓・楊松著
3 長襪子皮皮冒險故事※

國立中央圖書館出版品預行編目資料

小王子／聖・修伯理著；宋碧雲譯.
-- 初版. --臺北市：志文，1992〔民81〕
面；　公分. --(新潮文庫；348)
譯自：The little prince
ISBN 957-545-533-9（平裝）

876.59　　　81000699

新潮文庫348

小王子

原著者　聖・修伯理
譯者　宋碧雲
校對　陳香妃、曹永洋、宋碧雲
初版　1992年 4 月
再版　1996年11月
定價100元

發行人　張清吉
出版者　志文出版社
地址　台北市中山北路7段82巷10弄2號
郵政劃撥　0006163-8號
電話　8719141・8730622　傳眞　8719151
行政院新聞局登記證局版臺業字第0950號
印刷所　大誠印刷廠
法律顧問　蕭雄淋律師

ISBN 957-545-533-9